L'OISEAU BLEU

OUVRAGES DE MAURICE MAETERLINCK

La Sagesse et la Destinée (50ᵉ mille). (Fasquelle, édit.) . . . . 3 fr. 50

La Vie des Abeilles (66ᵉ mille). (Fasquelle, édit.). . . . . 3 fr. 50

Le Temple Enseveli (24ᵉ mille). (Fasquelle.) 3 fr. 50

Le Double Jardin (20ᵉ mille). (Fasquelle, édit.). 3 fr. 50

L'Intelligence des Fleurs (30ᵉ mille). (Fasquelle, édit.) . . . . 3 fr. 50

La Mort (39ᵉ mille). (Fasquelle, édit.) . . . . 3 fr. 50

Le Trésor des Humbles (64ᵉ édition). (Mercure de France) . . . . 3 fr. 50

Joyzelle, pièce en 5 actes (10ᵉ mille). (Fasquelle, édit.) . . . . 3 fr. 50

Monna Vanna, pièce en 3 actes (38ᵉ mille). (Fasquelle, édit.) . . . . 2 fr. »

Monna Vanna, drame lyrique en 4 actes et 5 tableaux. Musique de Henry Février. (6ᵉ mille). (Fasquelle, édit.). . . . . . . 1 fr. »

L'Oiseau Bleu, féerie en 6 actes et 12 tableaux (37ᵉ mille). (Fasquelle, édit.). . . . . . . 3 fr. 50

La Tragédie de Macbeth, de Villiam Shakespeare. Traduction nouvelle avec une *Introduction* et des *Notes* (4ᵉ mille). . . . . . 3 fr. 50

Marie-Magdeleine, drame en 3 actes (6ᵉ mille). (Fasquelle, édit.). . . . . 3 fr. 50

Théâtre. (Lacomblez, éditeur à Bruxelles, Belgique) . . . . 3 vol. à 3 fr. 50

Serres Chaudes (poésies). (Lacomblez, édit.). 3 fr. »

L'Ornement des Noces spirituelles, de Ruysbroeck l'Admirable, traduit du flamand et précédé d'une Introduction. (Lacomblez, édit.). . . . . 5 fr. »

Les Disciples a Saïs et les Fragments de Novalis, traduits de l'allemand et précédés d'une Introduction. (Lacomblez, édit.) . . . 5 fr. »

Album de douze Chansons. (Stock, édit.) . . . *Épuisé.*

17316. — L. Imprimeries réunies, rue Saint-Benoît, 7, Paris.

MAURICE MAETERLINCK

———

L'OISEAU BLEU

FÉERIE EN SIX ACTES ET DOUZE TABLEAUX

Représentée pour la première fois,
sur le Théâtre Artistique de Moscou, le 30 Septembre 1908,
et à Paris, sur la scène du Théâtre Réjane,
le 2 Mars 1911.

———

TRENTE-SIXIÈME MILLE

———

PARIS

LIBRAIRIE CHARPENTIER ET FASQUELLE
EUGÈNE FASQUELLE, ÉDITEUR
11, RUE DE GRENELLE, 11
—
1914

IL A ÉTÉ TIRÉ DE CET OUVRAGE :

100 exemplaires numérotés sur papier du Japon
réimposés dans le format in-octavo
et ornés de 16 compositions en couleurs
de W<small>LADIMIR</small> E<small>GOROFF</small>.

COSTUMES

TYLTYL : Costume du Petit-Poucet dans les contes de Per-
rault : petite culotte rouge-vermillon, courte veste bleu
tendre, bas blancs, souliers ou bottines de cuir fauve.

MYTYL : Costume de Grethel ou bien du Petit Chaperon rouge.

LA LUMIÈRE : Robe couleur de lune, c'est-à-dire d'or pâle
à reflets d'argent, gazes scintillantes, formant des
rayons, etc. Style néo-grec ou anglo-grec genre Walter
Crane ou même plus ou moins Empire. — Taille haute,
bras nus, etc. — Coiffure : sorte de diadème ou même de
couronne légère.

LA FÉE BÉRYLUNE, LA VOISINE BERLINGOT : Costume classique des pauvresses de contes de fées. On
pourrait supprimer au premier acte la transformation de
la Fée en princesse.

LE PÈRE TYL, LA MÈRE TYL, GRAND-PAPA TYL,
GRAND'MAMAN TYL : Costumes légendaires des
bûcherons et des paysans allemand dans les contes de
Grimm.

LES FRÈRES ET SŒURS DE TYLTYL : Variantes du
costume du Petit-Poucet.

a.

36563

LE TEMPS : Costume classique du Temps : vaste manteau noir ou gros bleu, barbe blanche et flottante, faulx, sablier.

L'AMOUR MATERNEL : Costume à peu près semblable à celui de la Lumière c'est-à-dire voiles souples et presque transparents de statue grecque, blancs autant que possible. Perles et pierreries aussi riches et aussi nombreuses qu'on voudra, pourvu qu'elles ne rompent pas l'harmonie pure et candide de l'ensemble.

LES GRANDES JOIES : Comme il est dit dans le texte, robes lumineuses aux subtiles et suaves nuances : réveil de rose, sourire d'eau, rosée d'ambre, azur d'aurore, etc.

LES BONHEURS DE LA MAISON : Robes de diverses couleurs, ou si l'on veut, costumes de paysans, de bergers, de bûcherons, etc., mais idéalisés et féeriquement interprétés.

LES GROS BONHEURS : Avant la transformation : amples et lourds manteaux de brocarts rouges et jaunes, bijoux énormes et épais, etc. Après la transformation : maillots café ou chocolat, donnant l'impression de pantins en baudruche.

LA NUIT : Amples vêtements noirs mystérieusement constellés, à reflets mordorés. Voiles, pavots sombres, etc.

LA PETITE FILLE DE LA VOISINE : Chevelure blonde et lumineuse, longue robe blanche.

LE CHIEN : Habit rouge, culotte blanche, bottes vernies, chapeau ciré; costume rappelant plus ou moins celui de John Bull.

LA CHATTE : Maillot de soie noire à paillettes

Il convient que les têtes de ces deux personnages soient discrètement animalisées.

LE PAIN: Somptueux costume de pacha. Ample robe de soie ou de velours cramoisi, broché d'or. Vaste turban. Cimeterre. Ventre énorme, face rouge et extrêmement joufflue.

LE SUCRE: Robe de soie, dans le genre de celles des eunuques, mi-partie de blanc et de bleu pour rappeler le papier d'emballage des pains de sucre. Coiffure des gardiens du sérail.

LE FEU : Maillot rouge, manteau vermillon à reflets chatoyants, doublé d'or. Aigrette de flammes versicolores.

L'EAU : Robe couleur du temps du conte de Peau d'Ane, c'est-à-dire bleuâtre ou glauque, à reflets transparents, effets de gaze ruisselante, également style néo ou anglo-grec, mais plus ample, plus flottant. Coiffure de fleurs et d'algues ou de roseaux.

LES ANIMAUX : Costumes populaires ou paysans

LES ARBRES : Robes, nuances variées du vert ou de la teinte tronc d'arbres. Attributs, feuilles ou branches qui les fassent reconnaître.

TABLEAUX

PERSONNAGES

(DANS L'ORDRE DE LEUR ENTRÉE EN SCÈNE)

LA MÈRE TYL.	Mlle	MÉTHIVET.
TYLTYL.	M.	DELPHIN.
MYTYL.	Mlle	ODETTE CARLIA.
LA FÉE.	Mme	GINA BARBIERI.
LE PAIN.	MM.	R. L. FUGÈRE.
LE FEU.		AURÈLE SYDNEY.
L'EAU.	Mlles	ISIS.
LE LAIT.		DIRIS.
LE SUCRE.	MM.	BOSMAN.
LE CHIEN.		SÉVERIN-MARS.
LE CHAT.		STEPHEN.
LA LUMIÈRE.	Mme	GEORGETTE LEBLANC.

Mlles NINI MANO.

HENRIETTE MAILLEFER

FERNANDE FAVERET.

BLANCHE FAVERET.

SUZANNE BAILLY.

LES HEURES. . . . . } RAYMONDE FAVERET.

LAURENCE PETIT.

JANE FAVERET.

BERTHE LIBOVITZ.

ANTOINETTE RAYMOND

DEROISSY.

GEORGES.

LE PÈRE TYL.	M.	Félix Barré.
GRAND'MÈRE TYL.	Mme	Daynes Grassot.
GRAND-PÈRE TYL.	M.	Maillard.
PIERROT.	Mlles	Suterre.
ROBERT.		Maria Fromet.
JEANNETTE.		Jeanne Evrard.
MADELEINE.		Giavelli.
PIERRETTE.		Henriette Gallet.
PAULINE.		Henriette Maillefer.
RIQUETTE.		Nini Mano.
LA NUIT.		Clarel.
LE SOMMEIL.		Louise Starck.
LA MORT.		Rachel Horelick.
LE RHUME DE CERVEAU. . . .		Renée Dahon.
1er ENFANT BLEU		Maria Fromet.
2e —		Laura Walter.
3e —		Maria Dumont.
4e —		Fernande Faveret.
5e —		Maud Loti.
6e —		Suterre.
7e —		Suzanne Bailly.
8e —		Giavelli.
9e —		Madeleine Fromet.
LE ROI DES NEUF PLANÈTES.		Batistina Rousseau.
11e ENFANT BLEU		Renée Pré.
12e —		Henriette Maillefer.
13e —		Béatrice Raymond.
14e —		Jeanne Corrège.
L'AMOUREUX.		Lucy Fleury.
L'AMOUREUSE.		Blanche Borelli.
LE TEMPS.	M.	Garry.
LE PETIT FRÈRE A NAITRE. .	Mlle	Maria Fromet.
	Mlles	Berthe Libovitz.
		Fernande Faveret.
LES AUTRES ENFANTS BLEUS.		Suzanne Faveret.
		Blanche Faveret.
		Raymonde Faveret.

LES AUTRES ENFANTS BLEUS.	Mlles HENRIETTE GALLET. JEANNE EVRARD. DENISE CHOQUET. LÉA DUMONT. MARCELLE MALHERBE. JULIETTE MALHERBE. LUCIENNE CHEZEAUX. DUPECHIER.
LES GARDIENNES.	Mlles DEROISSY. GEORGE. THÉLOZ. ALBERT.
LE CHEF DES GROS BONHEURS.	M. BARRÉ.
LES AUTRES BONHEURS.	MM. ALFROY. ADALBERT, etc.
LES PETITS BONHEURS.	Mlles LUCIENNE CHEZEAUX. NINI MANO. JEANNE CORRÈGE. HENRIETTE MAILLEFER. FERNANDE FAVERET. BLANCHE FAVERET. LOUISE STARCK. RACHEL HORELICK.
LES ADOLESCENTS.	JANE FAVERET. RAYMONDE FAVERET. MAUD LOTI. ANNETTE LIBOVITZ. LAURENCE PETIT.
LE CHEF DES BONHEURS.	Mlles RENÉE BEAUVAL.
LE BONHEUR DE SE BIEN PORTER.	DORCHÈZE.
— DE L'AIR PUR.	FLEURY.
— D'AIMER SES PARENTS.	GANNOZ.
— DU CIEL BLEU.	BLANCHE BORELLI.
— DE LA FORÊT.	DIRIS.

LE BONHEUR DES HEURES DE
      SOLEIL. . . . . . Mlles Boissière.

  —   DU PRINTEMPS.   Renée Dahon.

       DES COUCHERS
       DE SOLEIL. . . .   Soyez.

  —   DE VOIR SE LEVER
       LES ÉTOILES . .   Georges.

  —   DE LA PLUIE . .   Darièze.

  —   DU FEU D'HIVER.   Carène.

  —   DES PENSÉES IN-
       NOCENTES . . . .   Laura Walter.

  —   DE COURIR NU-
       PIEDS DANS LA
       ROSÉE. . . . . .   Antoinette Raymond.

LA JOIE D'ÊTRE JUSTE. . . . .   Albert.

  —   D'ÊTRE BONNE. . . . .   Bulaine.

  —   DE LA GLOIRE. . . . .   Théloz.

  —   DE PENSER. . . . . . .   Deroissy.

  —   DE COMPRENDRE. . . .   Lefebvre.

  —   DE VOIR CE QUI EST
      BEAU. . . . .   Didier.

  —   D'AIMER . . . .   Dervil.

L'AMOUR MATERNEL. . . . . . .   Méthivet.

LES JOIES INCONNUES. . . . . . { Soyez.
                         Delettraz.
                         Dessoyer, etc.

LA VOISINE BERLINGOT. . . . . Mme Gina Barbieri.

SA PETITE FILLE. . . . . Mlle Juliette Malherbe.

L'OISEAU BLEU

ACTE PREMIER

—

PREMIER TABLEAU

LA CABANE DU BUCHERON

Le théâtre représente l'intérieur d'une cabane de bûcheron, simple, rustique, mais non point misérable. — Cheminée à manteau où s'assoupit un feu de bûches. — Ustensiles de cuisine, armoire, huche, horloge à poids, rouet, fontaine, etc. — Sur une table, une lampe allumée. — Au pied de l'armoire, de chaque côté de celle-ci, endormis, pelotonnés, le nez sous la queue, un Chien et une Chatte. — Entre eux deux, un grand pain de sucre blanc et bleu. — Accrochée au mur, une cage ronde renfermant une tourterelle. — Au fond, deux fenêtres dont les volets intérieurs sont fermés. — Sous l'une des fenêtres, un escabeau. — A gauche, la porte d'entrée de la maison, munie d'un gros loquet. — A droite, une autre porte. — Échelle menant à un grenier. — Égale-

1

ment à droite, deux petits lits d'enfant, au chevet des-
quels, sur deux chaises, des vêtements se trouvent soigneusement pliés.

———————

(Au lever du rideau, Tyltyl et Mytyl sont profondément endormis dans leurs petits lits. La Mère Tyl les borde une dernière
fois, se penche sur eux, contemple un moment leur sommeil,
et appelle de la main le père Tyl qui passe la tête dans l'entre-
bâillement de la porte. La Mère Tyl met un doigt sur les
lèvres pour lui commander le silence, puis sort à droite sur
la pointe des pieds, après avoir éteint la lampe. La scène reste
obscure un instant, puis une lumière dont l'intensité aug-
mente peu à peu filtre par les lames des volets. La lampe sur
la table se rallume d'elle-même. Les deux enfants semblent
s'éveiller et se mettent sur leur séant.)

TYLTYL

Mytyl?

MYTYL

Tyltyl?

TYLTYL

Tu dors?

MYTYL

Et toi?...

TYLTYL

Mais non, je dors pas puisque je te parle...

MYTYL

C'est Noël, dis?...

TYLTYL

Pas encore; c'est demain. Mais le petit Noël n'apportera rien cette année...

MYTYL

Pourquoi?...

TYLTYL

J'ai entendu maman qui disait qu'elle n'avait pu aller à la ville pour le prévenir... Mais il viendra l'année prochaine...

MYTYL

C'est long, l'année prochaine?...

TYLTYL

Ce n'est pas trop court... Mais il vient cette nuit chez les enfants riches...

MYTYL

Ah?...

TYLTYL

Tiens!... Maman a oublié la lampe!... J'ai une idée?...

MYTYL

?...

TYLTYL

Nous allons nous lever...

MYTYL

C'est défendu...

TYLTYL

Puisqu'il n'y a personne... Tu vois les volets?...

MYTYL

Oh! qu'ils sont clairs!...

TYLTYL

C'est les lumières de la fête.

MYTYL

Quelle fête?

TYLTYL

En face, chez les petits riches. C'est l'arbre
de Noël. Nous allons les ouvrir...

MYTYL

Est-ce qu'on peut?

TYLTYL

Bien sûr, puisqu'on est seuls... Tu entends la
musique?... Levons-nous...

> Les deux enfants se lèvent, courent à l'une des fenêtres,
> montent sur l'escabeau et poussent les volets. Une vive
> clarté pénètre dans la pièce. Les enfants regardent
> avidement au dehors.

TYLTYL

On voit tout!...

MYTYL, qui ne trouve qu'une place précaire sur l'escabeau.

Je vois pas...

TYLTYL

Il neige!... Voilà deux voitures à six chevaux!...

MYTYL

Il en sort douze petits garçons!...

TYLTYL

T'es bête!... C'est des petites filles...

MYTYL

Ils ont des pantalons...

TYLTYL

Tu t'y connais... Ne me pousse pas ainsi!...

MYTYL

Je t'ai pas touché.

TYLTYL, qui occupe à lui seul tout l'escabeau.

Tu prends toute la place...

MYTYL

Mais j'ai pas du tout de place!...

TYLTYL

Tais-toi donc, on voit l'arbre!...

MYTYL

Quel arbre?...

TYLTYL

Mais l'arbre de Noël!... Tu regardes le mur!...

MYTYL

Je regarde le mur parce qu'y a pas de place...

TYLTYL, lui cédant une petite place avare sur l'escabeau.

Là!... En as-tu assez?... C'est-y pas la meilleure?... Il y en a des lumières ! Il y en a!...

MYTYL

Qu'est-ce qu'ils font donc ceux qui font tant de bruit?...

TYLTYL

Ils font de la musique.

MYTYL

Est-ce qu'ils sont fâchés?...

TYLTYL

Non, mais c'est fatigant.

MYTYL

Encore une voiture attelée de chevaux blancs!...

TYLTYL

Tais-toi!... Regarde donc!...

MYTYL

Qu'est-ce qui pend là, en or, après les branches?...

TYLTYL

Mais les jouets, pardi!... Des sabres, des fusils, des soldats, des canons...

MYTYL

Et des poupées, dis, est-ce qu'on en a mis?...

TYLTYL

Des poupées?... C'est trop bête; ça ne les amuse pas...

MYTYL

Et autour de la table, qu'est-ce que c'est tout ça?...

TYLTŸL

C'est des gâteaux, des fruits, des tartes à la crème...

MYTYL

J'en ai mangé une fois, lorsque j'étais petite...

TYLTYL

Moi aussi; c'est meilleur que le pain, mais on en a trop peu...

MYTYL

Ils n'en ont pas trop peu... Il y en a plein la table... Est-ce qu'ils vont les manger?...

TYLTYL

Bien sûr; qu'en feraient-ils?...

MYTYL

Pourquoi qu'ils ne les mangent pas tout de suite?...

TYLTŸL

Parce qu'ils n'ont pas faim...

MYTYL, stupéfaite.

Ils n'ont pas faim?... Pourquoi?...

TYLTYL

C'est qu'ils mangent quand ils veulent...

MYTYL, incrédule.

Tous les jours?...

TYLTYL

On le dit...

MYTYL

Est-ce qu'ils mangeront tout?... Est-ce qu'ils
en donneront?...

TYLTYL

A qui?...

MYTYL

A nous...

TYLTYL

Ils ne nous connaissent pas...

MYTYL

Si on leur demandait?...

TYLTYL

Cela ne se fait pas.

MYTYL

Pourquoi?...

TYLTYL

Parce que c'est défendu.

MYTYL, battant des mains.

Oh! qu'ils sont donc jolis!...

TYLTYL, enthousiasmé.

Et ils rient et ils rient!...

MYTYL

Et les petits qui dansent!...

TYLTYL

Oui, oui, dansons aussi!...

Ils trépignent de joie sur l'escabeau.

MYTYL

Oh! que c'est amusant!...

TYLTYL

On leur donne les gâteaux!... Ils peuvent y toucher!... Ils mangent! ils mangent! ils mangent!...

MYTYL

Les plus petits aussi!... Ils en ont deux, trois, quatre!...

TYLTYL, ivre de joie.

Oh! c'est bon!... Que c'est bon! que c'est bon!...

MYTYL, comptant des gâteaux imaginaires.

Moi, j'en ai reçu douze!...

TYLTYL

Et moi quatre fois douze!... Mais je t'en donnerai...

On frappe à la porte de la cabane.

TYLTYL, subitement calmé et effrayé.

Qu'est-ce que c'est?...

MYTYL, épouvantée.

C'est papa!...

> Comme ils tardent à ouvrir, on voit le gros loquet se
> soulever de lui-même, en grinçant; la porte s'entre-
> bâille pour livrer passage à une petite vieille habillée
> de vert et coiffée d'un chaperon rouge. Elle est bos-
> sue, boiteuse, borgne; le nez et le menton se rencon-
> trent, et elle marche courbée sur un bâton. Il n'est
> pas douteux que ce ne soit une fée.

LA FÉE

Avez-vous ici l'herbe qui chante ou l'oiseau
qui est bleu?...

TYLTYL

Nous avons de l'herbe, mais elle ne chante
pas...

MYTYL

Tyltyl a un oiseau.

TYLTYL

Mais je ne peux pas le donner...

LA FÉE

Pourquoi?...

TYLTYL

Parce qu'il est à moi.

LA FÉE

C'est une raison, bien sûr. Où est-il, cet oiseau?...

TYLTYL, montrant la cage.

Dans la cage...

LA FÉE, mettant ses besicles pour examiner l'oiseau.

Je n'en veux pas; il n'est pas assez bleu. Il
faudra que vous m'alliez chercher celui dont
j'ai besoin.

TYLTYL

Mais je ne sais pas où il est...

LA FÉE

Moi non plus. C'est pourquoi il faut le chercher. Je puis à la rigueur me passer de l'herbe

qui chante; mais il me faut absolument l'Oiseau
Bleu. C'est pour ma petite fille qui est très malade.

TYLTYL

Qu'est-ce qu'elle a?...

LA FÉE

On ne sait pas au juste; elle voudrait être
heureuse...

TYLTYL

Ah?...

LA FÉE

Savez-vous qui je suis?...

TYLTYL

Vous ressemblez un peu à notre voisine, Madame Berlingot...

LA FÉE, se fâchant subitement.

En aucune façon... Il n'y a aucun rapport...
C'est abominable!... Je suis la Fée Bérylune...

TYLTYL

Ah! très bien...

LA FÉE

Il faudra partir tout de suite.

TYLTYL

Vous viendrez avec nous?...

LA FÉE

C'est absolument impossible à cause du pot-au-feu que j'ai mis ce matin et qui s'empresse de déborder chaque fois que je m'absente plus d'une heure... (Montrant successivement le plafond, la cheminée et la fenêtre.) Voulez-vous sortir par ici, par là ou par là?...

TYLTYL, montrant timidement la porte.

J'aimerais mieux sortir par là...

LA FÉE, se fâchant encore subitement.

C'est absolument impossible, et c'est une habitude révoltante!... (Indiquant la fenêtre.) Nous sor-

tirons par là... Eh bien!... Qu'attendez-vous?...
Habillez-vous tout de suite... (Les enfants obéissent
et s'habillent rapidement.) Je vais aider Mytyl...

TYLTYL

Nous n'avons pas de souliers...

LA FÉE

Ça n'a pas d'importance. Je vais vous donner
un petit chapeau merveilleux. Où sont donc
vos parents?...

TYLTYL, montrant la porte à droite.

Ils sont là; ils dorment...

LA FÉE

Et votre bon-papa et votre bonne-maman?...

TYLTYL

Ils sont morts...

LA FÉE

Et vos petits frères et vos petites sœurs...
Vous en avez?...

2.

TYLTYL

Oui, oui; trois petits frères...

MYTYL

Et quatre petites sœurs...

LA FÉE

Où sont-ils?...

TYLTYL

Ils sont morts aussi...

LA FÉE

Voulez-vous les revoir?...

TYLTYL

Oh oui!... Tout de suite!... Montrez-les!...

LA FÉE

Je ne les ai pas dans ma poche... Mais ça tombe à merveille; vous les reverrez en passant par le pays du Souvenir. C'est sur la route de l'Oiseau-Bleu. Tout de suite à gauche, après le troisième carrefour. — Que faisiez-vous quand j'ai frappé?...

TYLTYL

Nous jouions à manger des gâteaux.

LA FÉE

Vous avez des gâteaux?... Où sont-ils?

TYLTYL

Dans le palais des enfants riches.... Venez voir, c'est si beau!...

Il entraîne la Fée vers la fenêtre.

LA FÉE, à la fenêtre.

Mais ce sont les autres qui les mangent!...

TYLTYL

Oui; mais puisqu'on voit tout...

LA FÉE

Tu ne leur en veux pas?...

TYLTYL

Pourquoi?...

LA FÉE

Parce qu'ils mangent tout. Je trouve qu'ils
ont grand tort de ne pas t'en donner...

TYLTYL

Mais non, puisqu'ils sont riches... Hein? que
c'est beau chez eux!...

LA FÉE

Ce n'est pas plus beau que chez toi.

TYLTYL

Heu!... Chez nous c'est plus noir, plus petit,
sans gâteaux...

LA FÉE

C'est absolument la même chose; c'est que
tu n'y vois pas...

TYLTYL

Mais si, j'y vois très bien, et j'ai de très bons

yeux. Je lis l'heure au cadran de l'église que
papa ne voit pas...

LA FÉE, se fâchant subitement.

Je te dis que tu n'y vois pas!... Comment
donc me vois-tu?... Comment donc suis-je
faite?... (Silence gêné de Tyltyl.) Eh bien, répon-
dras-tu? que je sache si tu vois?... Suis-je belle
ou bien laide?... (Silence de plus en plus embarrassé.)
Tu ne veux pas répondre?... Suis-je jeune ou
bien veille?... Suis-je rose ou bien jaune?... j'ai
peut-être une bosse?...

TYLTYL, conciliant.

Non, non, elle n'est pas grande...

LA FÉE

Mais si, à voir ton air, on la croirait énorme...
Ai-je le nez crochu et l'œil gauche crevé?...

TYLTYL

Non, non, je ne dis pas... Qui est-ce qui l'a
crevé?...

LA FÉE, de plus en plus irritée.

Mais il n'est pas crevé!... Insolent! misérable!... Il est plus beau que l'autre; il est plus grand, plus clair, il est bleu comme le ciel... Et mes cheveux, vois-tu?... Ils sont blonds comme les blés... on dirait de l'or vierge!... Et j'en ai tant et tant que la tête me pèse... Ils s'échappent de partout... Les vois-tu sur mes mains?...

Elle étale deux maigres mèches de cheveux gris.

TYLTYL

Oui, j'en vois quelques-uns...

LA FÉE, indignée.

Quelques-uns!... Des gerbes! des brassées! des touffes! des flots d'or!... Je sais bien que des gens disent qu'ils n'en voient point; mais tu n'es pas de ces méchantes gens aveugles, je suppose?...

TYLTYL

Non, non, je vois très bien ceux qui ne se cachent point...

LA FÉE

Mais il faut voir les autres avec la même au-
dace!... C'est bien curieux, les hommes... Depuis
la mort des fées, ils n'y voient plus du tout et ne
s'en doutent point... Heureusement que j'ai
toujours sur moi tout ce qu'il faut pour rallu-
mer les yeux éteints... Qu'est-ce que je tire de
mon sac?...

TYLTYL

Oh! le joli petit chapeau vert!... Qu'est-ce
qui brille ainsi sur la cocarde?...

LA FÉE

C'est le gros Diamant qui fait voir...

TYLTYL

Ah!...

LA FÉE

Oui; quand on a le chapeau sur la tête, on
tourne un peu le Diamant : de droite à gauche,
par exemple, tiens, comme ceci, vois-tu?... Il
appuie alors sur une bosse de la tête que personne ne connaît, et qui ouvre les yeux...

TYLTYL

Ça ne fait pas de mal?...

LA FÉE

Au contraire, il est fée... On voit à l'instant même ce qu'il y a dans les choses; l'âme du pain, du vin, du poivre, par exemple...

MYTYL

Est-ce qu'on voit aussi l'âme du sucre?...

LA FÉE, subitement fâchée.

Cela va sans dire!... Je n'aime pas les questions inutiles... L'âme du sucre n'est pas plus intéressante que celle du poivre... Voilà, je vous donne ce que j'ai pour vous aider dans la recherche de l'Oiseau-Bleu... Je sais bien que l'Anneau-qui-rend-invisible ou le Tapis-Volant vous seraient plus utiles... Mais j'ai perdu la clef de l'armoire où je les ai serrés... Ah! j'allais oublier... (Montrant le Diamant.) Quand on le tient ainsi, tu vois... un petit tour de plus, on revoit le Passé... Encore un petit tour, et l'on voit l'Avenir... C'est curieux et pratique et ça ne fait pas de bruit...

TYLTYL

Papa me le prendra...

LA FÉE

Il ne le verra pas; personne ne peut le voir tant qu'il est sur ta tête... Veux-tu l'essayer?... (Elle coiffe Tyltyl du petit chapeau vert.) A présent, tourne le Diamant... Un tour et puis après...

A peine Tyltyl a-t-il tourné le Diamant, qu'un change-ment soudain et prodigieux s'opère en toutes choses. La vieille fée est tout à coup une belle princesse mer-veilleuse; les cailloux dont sont bâtis les murs de la cabane s'illuminent, bleuissent comme des saphirs, deviennent transparents, scintillent, éblouissent à l'égal des pierres les plus précieuses. Le pauvre mobilier s'anime et resplendit; la table de bois blanc s'affirme aussi grave, aussi noble qu'une table de marbre, le cadran de l'horloge cligne de l'œil et sourit avec amé-nité, tandis que la porte derrière quoi va et vient le balancier s'entr'ouvre et laisse s'échapper les Heures, qui, se tenant les mains et riant aux éclats, se mettent à danser aux sons d'une musique délicieuse. Effare-ment légitime de Tyltyl qui s'écrie en montrant les Heures.

TYLTYL

Qu'est-ce que c'est que toutes ces belles dames?...

LA FÉE

N'aie pas peur; ce sont les heures de ta vie qui sont heureuses d'être libres et visibles un instant...

TYLTYL

Et pourquoi que les murs sont si clairs?... Est-ce qu'ils sont en sucre ou en pierres précieuses?...

LA FÉE

Toutes les pierres sont pareilles, toutes les pierres sont précieuses : mais l'homme n'en voit que quelques-unes...

> Pendant qu'ils parlent ainsi, la féerie continue et se complète. Les âmes des Pains-de-quatre-livres, sous la forme de bonshommes en maillots couleur croûte-de-pain, ahuris et poudrés de farine, se dépêtrent de la huche et gambadent autour de la table où ils sont rejoints par le Feu, qui, sorti de l'âtre en maillot soufre et vermillon, les poursuit en se tordant de rire.

TYLTYL

Qu'est-ce que c'est que ces vilains bonshommes?...

LA FÉE

Rien de grave; ce sont les âmes des Pains-de-quatre-livres qui profitent du règne de la vérité pour sortir de la huche où elles se trouvaient à l'étroit...

TYLTYL

Et le grand diable rouge qui sent mauvais?...

LA FÉE

Chut!.., Ne parle pas trop haut, c'est le Feu... Il a mauvais caractère.

> Ce dialogue n'a pas interrompu la féerie. Le Chien et la Chatte, couchés en rond au pied de l'armoire, poussant simultanément un grand cri, disparaissent dans une trappe, et à leur place surgissent deux personnages, dont l'un porte un masque de bouledogue, et l'autre une tête de chatte. Aussitôt, le petit homme au masque de bouledogue — que nous appellerons dorénavant le Chien — se précipite sur Tyltyl qu'il embrasse violemment et accable de bruyantes et impétueuses caresses, cependant que la petite femme au masque de chatte — que nous appellerons plus simplement la Chatte — se donne un coup de peigne, se lave les mains et se lisse la moustache, avant de s'approcher de Mytyl.

LE CHIEN, hurlant, sautant, bousculant tout, insupportable.

Mon petit dieu!... Bonjour! bonjour, mon

petit dieu!... Enfin, enfin, on peut parler! J'avais
tant de choses à te dire!... J'avais beau aboyer
et remuer la queue!... Tu ne comprenais pas!...
Mais maintenant!... Bonjour! bonjour!... Je
t'aime!... Je t'aime!... Veux-tu que je fasse
quelque chose d'étonnant?... Veux-tu que je
fasse le beau?... Veux-tu que je marche sur les
mains ou que je danse à la corde?...

TYLTYL, à la Fée.

Qu'est-ce que c'est que ce monsieur à tête de
chien?..

LA FÉE

Mais tu ne vois donc pas?... C'est l'âme de
Tylô que tu as délivrée...

LA CHATTE, s'approchant de Mytyl et lui tendant la main,
cérémonieusement, avec circonspection.

Bonjour, Mademoiselle... Que vous êtes jolie
ce matin!...

MYTYL

Bonjour, Madame... (A la Fée.) Qui est-ce?...

LA FÉE

C'est facile à voir; c'est l'âme de Tylette qui te tend la main... Embrasse-la...

LE CHIEN, bousculant la Chatte.

Moi aussi!... J'embrasse le petit dieu!... J'embrasse la petite fille!... J'embrasse tout le monde!... Chic!... On va s'amuser!... Je vais faire peur à Tylette!... Hou! hou! hou!...

LA CHATTE

Monsieur, je ne vous connais pas...

LA FÉE, menaçant le Chien de sa baguette.

Toi, tu vas te tenir bien tranquille; sinon tu rentreras dans le silence, jusqu'à la fin des temps...

Cependant, la féerie a poursuivi son cours : le Rouet s'est mis à tourner vertigineusement dans son coin en filant de splendides rayons de lumière; la Fontaine, dans l'autre angle, se prend à chanter d'une voix sur-aiguë et, se transformant en fontaine lumineuse, inonde l'évier de nappes de perles et d'émeraudes, à travers lesquelles s'élance l'âme de l'Eau, pareille à une jeune fille ruisselante, échevelée, pleurarde, qui va incontinent se battre avec le Feu.

3.

TYLTYL

Et la dame mouillée?...

LA FÉE

N'aie pas peur, c'est l'Eau qui sort du robinet...

> Le Pot-au-lait se renverse, tombe de la table, se brise
> sur le sol; et du lait répandu s'élève une grande forme
> blanche et pudibonde qui semble avoir peur de tout.

TYLTYL

Et la dame en chemise qui a peur?...

LA FÉE

C'est le Lait qui a cassé son pot...

> Le Pain-de-sucre posé au pied de l'armoire grandit,
> s'élargit et crève son enveloppe de papier d'où émerge
> un être doucereux et papelard, vêtu d'une souque-
> nille mi-partie de blanc et de bleu, qui, souriant béa-
> tement, s'avance vers Mytyl.

MYTYL, avec inquiétude.

Que veut-il?...

LA FÉE

Mais c'est l'âme du Sucre!...

MYTYL, rassurée.

Est-ce qu'il a des sucres d'orge?...

LA FÉE

Mais il n'a que ça dans ses poches, et chacun
de ses doigts en est un...

La Lampe tombe de la table, et aussitôt tombée, sa
flamme se redresse et se transforme en une lumineuse
vierge d'une incomparable beauté. Elle est vêtue de
longs voiles transparents et éblouissants, et se tient
immobile en une sorte d'extase.

TYLTYL

C'est la Reine!

MYTYL

C'est la Sainte Vierge!...

LA FÉE

Non, mes enfants, c'est la Lumière...

Cependant, les casseroles, sur les rayons, tournent comme
des toupies hollandaises, l'armoire à linge claque ses
battants et commence un magnifique déroulement
d'étoffes couleur de lune et de soleil, auquel se mêlent,
non moins splendides, des chiffons et des guenilles qui
descendent l'échelle du grenier. Mais voici que trois
coups assez rudes sont frappés à la porte de droite.

TYLTYL, effrayé.

C'est papa!... Il nous a entendus!...

LA FÉE

Tourne le Diamant!... De gauche à droite!... (Tyltyl tourne vivement le diamant.) Pas si vite!... Mon Dieu! Il est trop tard!... Tu l'as tourné trop brusquement. Ils n'auront pas le temps de reprendre leur place, et nous aurons bien des ennuis... (La Fée redevient vieille femme, les murs de la cabane éteignent leurs splendeurs, les Heures rentrent dans l'horloge, le Rouet s'arrête, etc. Mais dans la hâte et le désarroi général, tandis que le Feu court follement autour de la pièce, à la recherche de la cheminée, un des Pains-de-quatre-livres, qui n'a pu retrouver place dans la huche, éclate en sanglots tout en poussant des rugissements d'épouvante.) Qu'y a-t-il?...

LE PAIN, tout en larmes.

Il n'y a plus de place dans la huche!...

LA FÉE, se penchant sur la huche.

Mais si, mais si... (Poussant les autres pains qui ont repris leur place primitive.) Voyons, vite, rangez-vous...

On heurte encore à la porte.

LE PAIN, éperdu, s'efforçant vainement d'entrer
dans la huche.

Il n'y a pas moyen!... Il me mangera le premier!...

LE CHIEN, gambadant autour de Tyltyl.

Mon petit dieu!... Je suis encore ici!... Je puis
encore parler! Je puis encore t'embrasser!...
Encore! encore! encore!...

LA FÉE

Comment, toi aussi?... Tu es encore là?...

LE CHIEN

J'ai de la veine... Je n'ai pas pu rentrer dans
le silence; la trappe s'est refermée trop vite...

LA CHATTE

La mienne aussi... Que va-t-il arriver?...
Est-ce que c'est dangereux?

LA FÉE

Mon Dieu, je dois vous dire la vérité : tous ceux qui accompagneront les deux enfants, mourront à la fin du voyage...

LA CHATTE

Et ceux qui ne les accompagneront pas?...

LA FÉE

Ils survivront quelques minutes...

LA CHATTE, au Chien.

Viens, rentrons dans la trappe...

LE CHIEN

Non, non!... Je ne veux pas!... Je veux accompagner le petit dieu!... Je veux lui parler tout le temps!...

LA CHATTE

Imbécile!...

On heurte encore à la porte.

LE PAIN, pleurant à chaudes larmes.

Je ne veux pas mourir à la fin du voyage!...
Je veux rentrer tout de suite dans ma huche!...

LE FEU, qui n'a cessé de parcourir vertigineusement
la pièce en poussant des sifflements d'angoisse.

Je ne trouve plus ma cheminée!...

L'EAU, qui tente vainement de rentrer dans le robinet.

Je ne peux plus rentrer dans le robinet!...

LE SUCRE, qui s'agite autour de son enveloppe de papier.

J'ai crevé mon papier d'emballage!...

LE LAIT, lymphatique et pudibond.

On a cassé mon petit pot!...

LA FÉE

Sont-ils bêtes, mon Dieu!... Sont-ils bêtes et
poltrons!... Vous aimeriez donc mieux continuer
de vivre dans vos vilaines boîtes, dans vos
trappes et dans vos robinets que d'accompagner
les enfants qui vont chercher l'Oiseau?...

TOUS, à l'exception du Chien et de la Lumière.

Oui! oui! Tout de suite!... Mon robinet!... Ma huche!... Ma cheminée!... Ma trappe!...

LA FÉE, à la Lumière qui regarde rêveusement
les débris de sa lampe.

Et toi, la Lumière, qu'en dis-tu?...

LA LUMIÈRE

J'accompagnerai les enfants...

LE CHIEN, hurlant de joie.

Moi aussi! moi aussi!...

LA FÉE

Voilà qui est des mieux. Du reste, il est trop tard pour reculer; vous n'avez plus le choix, vous sortirez tous avec nous... Mais toi, le Feu, ne t'approche de personne, toi, le Chien, ne taquine pas la Chatte, et toi, l'Eau, tiens-toi droite et tâche de ne pas couler partout...

Des coups violents sont encore frappés à la porte de droite.

TYLTYL, écoutant.

C'est encore papa!... Cette fois, il se lève, je
l'entends marcher...

LA FÉE

Sortons par la fenêtre... Vous viendrez tous
chez moi, où j'habillerai convenablement les
animaux et les phénomènes... (Au Pain.) Toi, le
Pain, prends la cage dans laquelle on mettra
l'Oiseau-Bleu... Tu en auras la garde... Vite, vite,
ne perdons pas de temps...

> La fenêtre s'allonge brusquement, comme une porte. Ils
> sortent tous, après quoi la fenêtre reprend sa forme
> primitive et se referme innocemment. La chambre est
> redevenue obscure, et les deux petits lits sont plongés
> dans l'ombre. La porte à droite s'entr'ouvre, et dans
> l'entrebâillement paraissent les têtes du père et de la
> mère Tyl.

LE PÈRE TYL

Ce n'était rien... C'est le grillon qui chante...

LA MÈRE TYL

Tu les vois?...

4

LE PÈRE TYL

Bien sûr... Ils dorment tranquillement...

LA MÈRE TYL

Je les entends respirer...

La porte se referme.

RIDEAU

ACTE DEUXIÈME

DEUXIÈME TABLEAU

CHEZ LA FÉE

Un magnifique vestibule dans le palais de la Fée
Bérylune. Colonnes de marbre clair à chapiteaux d'or et
d'argent, escaliers, portiques, balustrades, etc.

Entrent au fond, à droite, somptueusement habillés, la Chatte, le
Sucre et le Feu. Ils sortent d'un appartement d'où émanent
des rayons de lumière; c'est la garde-robe de la Fée. La
Chatte a jeté une gaze légère sur son maillot de soie noire,
le Sucre a revêtu une robe de soie, mi-partie de blanc et de
bleu tendre, et le Feu, coiffé d'aigrettes multicolores, un long
manteau cramoisi doublé d'or. Ils traversent toute la salle et
descendent au premier plan, à droite, où la Chatte les réunit
sous un portique.

LA CHATTE

Par ici. Je connais tous les détours de ce palais... La Fée Bérylune l'a hérité de Barbe-

Bleue... Pendant que les enfants et la Lumière
rendent visite à la petite fille de la Fée, profi-
tons de notre dernière minute de liberté... Je
vous ai fait venir ici, afin de vous entretenir
de la situation qui nous est faite... Sommes-
nous tous présents?...

LE SUCRE

Voici le Chien qui sort de la garde-robe de la
Fée...

LE FEU

Comment diable s'est-il habillé?...

LA CHATTE

Il a pris la livrée d'un des laquais du carrosse
de Cendrillon... C'est bien ce qu'il lui fallait...
Il a une âme de valet... Mais dissimulons-nous
derrière la balustrade... Je m'en méfie étrange-
ment... Il vaudrait mieux qu'il n'entende pas
ce que j'ai à vous dire...

LE SUCRE

C'est inutile... Il nous a éventés... Tiens, voilà

l'Eau qui sort en même temps de la garde-robe...
Dieu! qu'elle est belle!...

Le Chien et l'Eau rejoignent le premier groupe.

LE CHIEN, gambadant.

Voilà! voilà!... Sommes-nous beaux! Regardez donc ces dentelles, et puis ces broderies!...
C'est de l'or et du vrai!...

LA CHATTE, à l'Eau.

C'est la robe « couleur-du-temps » de Peau-
d'Ane?... Il me semble que je la connais...

L'EAU

Oui, c'est encore ce qui m'allait le mieux...

LE FEU, entre les dents.

Elle n'a pas son parapluie...

L'EAU

Vous dites?...

LE FEU

Rien, rien...

L'EAU

Je croyais que vous parliez d'un gros nez rouge que j'ai vu l'autre jour...

LA CHATTE

Voyons, ne nous querellons pas, nous avons mieux à faire... Nous n'attendons plus que le Pain : où est-il?...

LE CHIEN

Il n'en finissait pas de faire de l'embarras pour choisir son costume...

LE FEU

C'est bien la peine, quand on a l'air idiot et qu'on porte un gros ventre...

LE CHIEN

Finalement, il s'est décidé pour une robe turque, ornée de pierreries, un cimeterre et un turban...

LA CHATTE

Le voilà!... Il a mis la plus belle robe de Barbe-Bleue...

> Entre le Pain, dans le costume qu'on vient de décrire. La robe de soie est péniblement croisée sur son énorme ventre. Il tient d'une main la garde du cimeterre passé dans sa ceinture et de l'autre la cage destinée à l'Oiseau-Bleu.

LE PAIN, se dandinant vaniteusement.

Eh bien?... Comment me trouvez-vous?...

LE CHIEN, gambadant autour du Pain.

Qu'il est beau! qu'il est bête! qu'il est beau! qu'il est beau!...

LA CHATTE, au Pain.

Les enfants sont-ils habillés?...

LE PAIN

Oui, Monsieur Tyltyl a pris la veste rouge, les bas blancs et la culotte bleue du Petit-Poucet; quant à Mademoiselle Mytyl, elle a la robe

de Grethel et les pantoufles de Cendrillon...
Mais la grande affaire, ç'a été d'habiller la Lumière!...

LA CHATTE

Pourquoi?...

LE PAIN

La Fée la trouvait si belle qu'elle ne voulait
pas l'habiller du tout!... Alors j'ai protesté au
nom de notre dignité d'éléments essentiels et
éminemment respectables; et j'ai fini par décla-
rer que, dans ces conditions, je refusais de sortir avec elle...

LE FEU

Il fallait lui acheter un abat-jour!...

LA CHATTE

Et la Fée, qu'a-t-elle répondu?...]

LE PAIN

Elle m'a donné quelques coups de bâton sur
la tête et le ventre...

LA CHATTE

Et alors?...

LE PAIN

Je fus promptement convaincu, mais au dernier moment, la Lumière s'est décidée pour la
robe « couleur-de-lune » qui se trouvait au fond
du coffre aux trésors de Peau-d'Ane...

LA CHATTE

Voyons, c'est assez bavardé, le temps presse...
Il s'agit de notre avenir... Vous l'avez entendu,
la Fée vient de le dire, la fin de ce voyage mar-
quera en même temps la fin de notre vie... Il
s'agit donc de le prolonger autant que possible
et par tous les moyens possibles... Mais il y a
encore autre chose; il faut que nous pensions
au sort de notre race et à la destinée de nos
enfants...

LE PAIN

Bravo! bravo!... La Chatte a raison!...

LA CHATTE

Écoutez-moi... Nous tous ici présents, ani-

maux, choses et éléments, nous possédons une
âme que l'homme ne connaît pas encore. C'est
pourquoi nous gardons un reste d'indépen-
dance; mais, s'il trouve l'Oiseau-Bleu, il saura
tout, il verra tout, et nous serons complètement
à sa merci... C'est ce que vient de m'apprendre
ma vieille amie la Nuit, qui est en même
temps la gardienne des mystères de la Vie... Il
est donc de notre intérêt d'empêcher à tout prix
qu'on ne trouve cet oiseau, fallût-il aller jusqu'à
mettre en péril la vie même des enfants...

LE CHIEN, indigné.

Que dit-elle, celle-là?... Répète un peu que
j'entende bien ce que c'est?

LE PAIN

Silence!... Vous n'avez pas la parole!... Je
préside l'assemblée...

LE FEU

Qui vous a nommé président?...

L'EAU, au Feu.

Silence!... De quoi vous mêlez-vous?...

LE FEU

Je me mêle de ce qu'il faut... Je n'ai pas d'observations à recevoir de vous...

LE SUCRE, conciliant.

Permettez... Ne nous querellons point... L'heure est grave... Il s'agit avant tout de s'entendre sur les mesures à prendre...

LE PAIN

Je partage entièrement l'avis du Sucre et de la Chatte...

LE CHIEN

C'est idiot!... Il y a l'Homme, voilà tout!... Il faut lui obéir et faire tout ce qu'il veut!... Il n'y a que ça de vrai... Je ne connais que lui!... Vive l'Homme!... A la vie, à la mort, tout pour l'Homme!... l'Homme est dieu!...

LE PAIN

Je partage entièrement l'avis du Chien.

LA CHATTE, au Chien.

Mais on donne ses raisons...

LE CHIEN

Il n'y a pas de raisons!... J'aime l'Homme, ça suffit!... Si vous faites quelque chose contre lui, je vous étranglerai d'abord et j'irai tout lui révéler...

LE SUCRE, intervenant avec douceur.

Permettez... N'aigrissons pas la discussion... D'un certain point de vue, vous avez raison, l'un et l'autre... Il y a le pour et le contre...

LE PAIN

Je partage entièrement l'avis du Sucre!...

LA CHATTE

Est-ce que tous ici, l'Eau, le Feu, et vous-mêmes le Pain et le Chien, nous ne sommes pas victimes d'une tyrannie sans nom?... Rappelez-vous le temps où, avant la venue du despote, nous errions librement sur la face de la Terre... l'Eau et le Feu étaient les seuls maîtres du monde; et voyez ce qu'ils sont devenus!... Quant à nous, les chétifs descendants des grands fauves... Attention!... N'ayons l'air de rien... Je

vois s'avancer la Fée et la Lumière... La Lumière
s'est mise du parti de l'Homme; c'est notre pire
ennemie... Les voici...

*Entrent à droite, la Fée et la Lumière, suivies de Tyltyl
et de Mytyl.*

LA FÉE

Eh bien?... Qu'est-ce que c'est?... Que faites-
vous dans ce coin?... Vous avez l'air de conspi-
rer... Il est temps de se mettre en route... Je
viens de décider que la Lumière sera votre chef...
Vous lui obéirez tous comme à moi-même et je
lui confie ma baguette... Les enfants visiteront
ce soir leurs grands-parents qui sont morts...
Vous ne les accompagnerez pas, par discrétion...
Ils passeront la soirée au sein de leur famille
décédée... Pendant ce temps, vous préparerez
tout ce qu'il faut pour l'étape de demain, qui
sera longue... Allons, debout, en route et chacun à son poste!...

LA CHATTE, hypocritement.

C'est tout juste ce que je leur disais, Madame
la Fée... Je les exhortais à remplir conscien-
cieusement et courageusement tout leur devoir; malheureusement, le Chien qui ne cessait
de m'interrompre...

5

LE CHIEN

Que dit-elle?... Attends un peu!...

Il va bondir sur la Chatte, mais Tyltyl, qui a prévenu son mouvement, l'arrête d'un geste menaçant.

TYLTYL

A bas, Tylô!... Prends garde; et s'il t'arrive encore une seule fois de...

LE CHIEN

Mon petit dieu, tu ne sais pas, c'est elle qui...

TYLTYL, le menaçant.

Tais-toi!...

LA FÉE

Voyons, finissons-en... Que le Pain, ce soir, remette la cage à Tyltyl... Il est possible que l'Oiseau-Bleu se cache dans le Passé, chez les grands-parents... En tout cas, c'est une chance qu'il convient de ne point négliger... Eh bien, le Pain, cette cage?...

LE PAIN, solennel.

Un instant, s'il vous plaît, Madame la Fée... *(Comme un orateur qui prend la parole.)* Vous tous,

soyez témoins que cette cage d'argent qui me
fut confiée par...

LA FÉE, l'interrompant.

Assez!... Pas de phrases... Nous sortirons par
là, tandis que les enfants sortiront par ici..

TYLTYL, assez inquiet.

Nous sortirons tout seuls?...

MYTYL

J'ai faim!...

TYLTYL

Moi aussi!...

LA FÉE, au Pain.

Ouvre ta robe turque et donne-leur une
tranche de ton bon ventre...

Le Pain ouvre sa robe, tire son cimeterre et coupe, à
même son gros ventre, deux tartines qu'il offre aux
enfants.

LE SUCRE, s'approchant des enfants.

Permettez-moi de vous offrir en même temps
quelques sucres d'orge...

Il casse un à un les cinq doigts de sa main gauche et les
leur présente.

MYTYL

Qu'est-ce qu'il fait?... Il casse tous ses doigts...

LE SUCRE, engageant.

Goûtez-les, ils sont excellents... C'est de vrais sucres d'orge...

MYTYL, suçant un des doigts.

Dieu qu'il est bon!... Est-ce que tu en as beaucoup?...

LE SUCRE, modeste.

Mais oui, tant que je veux...

MYTYL

Est-ce que ça te fait bien mal quand tu les casses ainsi?...

LE SUCRE

Pas du tout... Au contraire; c'est très avantageux, ils repoussent tout de suite, et de cette façon, j'ai toujours des doigts propres et neufs...

LA FÉE

Voyons, mes enfants, ne mangez pas trop de

sucre. N'oubliez pas que vous souperez tout à
l'heure chez vos grands-parents...

TYLTYL

Ils sont ici?...

LA FÉE

Vous allez les voir à l'instant...

TYLTYL

Comment les verrons-nous, puisqu'ils sont
morts?...

LA FÉE

Comment seraient-ils morts puisqu'ils vivent
dans votre souvenir?... Les hommes ne savent
pas ce secret parce qu'ils savent bien peu de
chose; au lieu que toi, grâce au Diamant, tu
vas voir que les morts dont on se souvient
vivent aussi heureux que s'ils n'étaient point
morts...

TYLTYL

La Lumière vient avec nous?...

LA LUMIÈRE

Non, il est plus convenable que cela se passe

5.

en famille... J'attendrai ici près pour ne point
paraître indiscrète.... Ils ne m'ont pas invitée...

TYLTYL

Par où faut-il aller?...

LA FÉE

Par là... Vous êtes au seuil du « Pays du Souvenir ». Dès que tu auras tourné le Diamant,
tu verras un gros arbre muni d'un écriteau, qui
te montrera que tu es arrivé... Mais n'oubliez
pas que vous devez être rentré tous les deux
à neuf heures moins le quart... C'est extrêmement important... Surtout soyez exacts, car
tout serait perdu si vous vous mettiez en retard... A bientôt... (Appelant la Chatte, le Chien, la Lumière, etc.) Par ici... Et les petits par là...

Elle sort à droite avec la Lumière, les animaux, etc.,
tandis que les enfants sortent à gauche.

RIDEAU

TROISIÈME TABLEAU

LE PAYS DU SOUVENIR

Un épais brouillard d'où émerge, à droite, au tout premier plan, le tronc d'un gros chêne muni d'un écriteau. Clarté laiteuse, diffuse, impénétrable.

———

Tyltyl et Mytyl se trouvent au pied du chêne

TYLTYL

Voici l'arbre!...

MYTYL

Il y a l'écriteau!...

TYLTYL

Je ne peux pas lire... Attends, je vais monter sur cette racine... C'est bien ça... C'est écrit : « Pays du Souvenir ».

MYTYL

C'est ici qu'il commence?...

TYLTYL

Oui, il y a une flèche...

MYTYL

Eh bien, où qu'ils sont, bon-papa et bonne-maman?

TYLTYL

Derrière le brouillard... Nous allons voir...

MYTYL

Je ne vois rien du tout!... Je ne vois plus mes pieds ni mes mains... (Pleurnichant.) J'ai froid!... Je ne veux plus voyager... Je veux rentrer à la maison...

TYLTYL

Voyons, ne pleure pas tout le temps, comme l'Eau... T'es pas honteuse?... Une grande petite

fille!... Regarde, le brouillard se lève déjà...
Nous allons voir ce qu'il y a dedans...

En effet, la brume s'est mise en mouvement; elle s'allège,
s'éclaire, se disperse, s'évapore. Bientôt, dans une
lumière de plus en plus transparente, on découvre,
sous une voûte de verdure, une riante maisonnette de
paysan, couverte de plantes grimpantes. Les fenêtres
et la porte sont ouvertes. On voit des ruches d'abeilles
sous un auvent, des pots de fleurs sur l'appui des croi-
sées, une cage où dort un merle, etc. Près de la porte
un banc, sur lequel sont assis, profondément endormis,
un vieux paysan et sa femme, c'est-à-dire le grand-
père et la grand'mère de Tyltyl.

TYLTYL, les reconnaissant tout à coup.

C'est bon-papa et bonne-maman!...

MYTYL, battant des mains.

Oui! oui!... C'est eux!... C'est eux!...

TYLTYL, encore un peu méfiant.

Attention!... On ne sait pas encore s'ils re-
muent... Restons derrière l'arbre...

Grand'maman Tyl ouvre les yeux, lève la tête, s'étire,
pousse un soupir, regarde grand-papa Tyl qui lui aussi
sort lentement de son sommeil.

GRAND'MAMAN TYL

J'ai idée que nos petits-enfants qui sont encore en vie nous vont venir voir aujourd'hui...

GRAND-PAPA TYL

Bien sûr, ils pensent à nous; car je me sens
tout chose et j'ai des fourmis dans les jambes...

GRAND'MAMAN TYL

Je crois qu'ils sont tout proches, car des larmes de joie dansent devant mes yeux...

GRAND-PAPA TYL

Non, non; ils sont fort loin... Je me sens encore faible...

GRAND'MAMAN TYL

Je te dis qu'ils sont là; j'ai déjà toute ma
force...

TYLTYL et MYTYL, se précipitant de derrière le chêne.

Nous voilà!... Nous voilà!... Bon-papa, bonne-
maman!... C'est nous!... C'est nous!...

GRAND-PAPA TYL

Là!... Tu vois?... Qu'est-ce que je disais?...
J'étais sûr qu'ils viendraient aujourd'hui...

GRAND'MAMAN TYL

Tyltyl!... Mytyl!... C'est toi!... C'est elle!...
C'est eux!... (S'efforçant de courir au-devant d'eux.) Je ne
peux pas courir!... J'ai toujours mes rhuma·
tismes!

GRAND-PAPA TYL, accourant de même en clopinant.

Moi non plus... Rapport à ma jambe de bois
qui remplace toujours celle que j'ai cassée en
tombant du gros chêne..

Les grands-parents et les enfants s'embrassent follement.

GRAND'MAMAN TYL

Que tu es grandi et forci, mon Tyltyl!...

GRAND-PAPA TYL, caressant les cheveux de Mytyl.

Et Mytyl!... Regarde donc!... Les beaux cheveux, les beaux yeux!... Et puis, ce qu'elle sent
bon!....

GRAND'MAMAN TYL

Embrassons-nous encore!... Venez sur mes
genoux...

GRAND-PAPA TYL

Et moi, je n'aurai rien?...

GRAND'MAMAN TYL

Non, non... A moi d'abord... Comment vont
Papa et Maman Tyl?...

TYLTYL

Fort bien, bonne-maman... Ils dormaient
quand nous sommes sortis...

GRAND'MAMAN TYL, les contemplant et les accablant de caresses.

Mon Dieu, qu'ils sont jolis et bien débar-
bouillés!... C'est maman qui t'a débarbouillé?...
Et tes bas ne sont pas troués!... C'est moi qui
les reprisais autrefois. Pourquoi ne venez-vous
pas nous voir plus souvent?... Cela nous fait
tant de plaisir!... Voilà des mois et des mois que
vous nous oubliez et que nous ne voyons plus
personne...

TYLTYL

Nous ne pouvions pas, bonne-maman; et
c'est grâce à la Fée qu'aujourd'hui...

GRAND'MAMAN TYL

Nous sommes toujours là, à attendre une
petite visite de ceux qui vivent... Ils viennent si
rarement!... La dernière fois que vous êtes ve-
nus, voyons, c'était quand donc?... C'était à la
Toussaint, quand la cloche de l'église a tinté...

TYLTYL

A la Toussaint?... Nous ne sommes pas sortis
ce jour-là, car nous étions fort enrhumés...

GRAND'MAMAN TYL

Non, mais vous avez pensé à nous...

TYLTYL

Oui...

GRAND'MAMAN TYL

Eh bien, chaque fois que vous pensez à nous,
nous nous réveillons et nous vous revoyons...

TYLTYL

Comment, il suffit que...

6

GRAND'MAMAN TYL

Mais voyons, tu sais bien...

TYLTYL

Mais non, je ne sais pas...

GRAND'MAMAN TYL, à Grand-Papa Tyl.

C'est étonnant, là-haut... Ils ne savent pas encore... Ils n'apprennent donc rien?...

GRAND-PAPA TYL

C'est comme de notre temps... Les Vivants sont si bêtes quand ils parlent des Autres...

TYLTYL

Vous dormez tout le temps?...

GRAND-PAPA TYL

Oui, nous dormons pas mal, en attendant qu'une pensée des Vivants nous réveille... Ah! c'est bien bon de dormir, quand la vie est finie... Mais il est agréable aussi de s'éveiller de temps en temps...

TYLTYL

Alors, vous n'êtes pas morts pour de vrai?...

GRAND-PAPA TYL, sursautant.

Que dis-tu?... Qu'est-ce qu'il dit?... Voilà
qu'il emploie des mots que nous ne compre-
nons plus... Est-ce que c'est un mot nouveau,
une invention nouvelle?...

TYLTYL

Le mot « mort »?...

GRAND-PAPA TYL

Oui; c'était ce mot-là... Qu'est-ce que ça veut
dire?...

TYLTYL

Mais ça veut dire qu'on ne vit plus...

GRAND-PAPA TYL

Sont-ils bêtes, là-haut!...

TYLTYL

Est-ce qu'on est bien ici?...

GRAND-PAPA TYL

Mais oui; pas mal, pas mal; et même si l'on priait encore...

TYLTYL

Papa m'a dit qu'il ne faut plus prier...

GRAND-PAPA TYL

Mais si, mais si... Prier c'est se souvenir...

GRAND'MAMAN TYL

Oui, oui, tout irait bien, si seulement vous veniez nous voir plus souvent... Te rappelles-tu, Tyltyl?... La dernière fois, j'avais fait une belle tarte aux pommes... Tu en as mangé tant et tant que tu t'es fait du mal...

TYLTYL

Mais je n'ai pas mangé de tarte aux pommes depuis l'année dernière... Il n'y a pas eu de pommes cette année...

GRAND'MAMAN TYL

Ne dis pas de bêtises... Ici il y en a toujours...

TYLTYL

Ce n'est pas la même chose...

GRAND'MAMAN TYL

Comment? Ce n'est pas la même chose?... Mais tout est la même chose puisqu'on peut s'embrasser...

TYLTYL, regardant tour à tour son grand-père et sa grand'mère.

Tu n'as pas changé, bon-papa, pas du tout, pas du tout... Et bonne-maman non plus n'a pas changé du tout... Mais vous êtes plus beaux...

GRAND-PAPA TYL

Eh! ça ne va pas mal... Nous ne vieillissons plus... Mais vous, grandissez-vous!... Ah! oui, vous poussez ferme!... Tenez, là, sur la porte, on voit encore la marque de la dernière fois... C'était à la Toussaint... Voyons, tiens-toi bien droit... (Tyltyl se dresse contre la porte.) Quatre doigts!... C'est énorme!... (Mytyl se dresse également contre la porte.) Et Mytyl, quatre et demi!... Ah, ah! la mauvaise graine!... Ce que ça pousse, ce que ça pousse!...

6.

TYLTYL, regardant autour de soi avec ravissement.

Comme tout est bien de même, comme tout est à sa place!... Mais comme tout est plus beau!... Voilà l'horloge avec la grande aiguille dont j'ai cassé la pointe....

GRAND-PAPA TYL

Et voici la soupière que tu as écornée...

TYLTYL

Et voilà le trou que j'ai fait à la porte, le jour que j'ai trouvé le vilebrequin...

GRAND-PAPA TYL

Ah oui, tu en as fait des dégâts!... Et voici le prunier où tu aimais tant grimper quand je n'étais pas là... Il a toujours ses belles prunes rouges...

TYLTYL

Mais elles sont bien plus belles!...

MYTYL

Et voici le vieux merle!... Est-ce qu'il chante encore?...

Le merle se réveille et se met à chanter à tue-tête.

GRAND'MAMAN TYL

Tu vois bien... Dès que l'on pense à lui...

TYLTYL, remarquant avec stupéfaction que le merle
est parfaitement bleu.

Mais il est bleu!... Mais c'est lui, l'Oiseau-
Bleu que je dois rapporter à la Fée!... Et vous
ne disiez pas que vous l'aviez ici! Oh! qu'il est
bleu, bleu, bleu, comme une bille de verre bleu!...
(Suppliant.) Bon-papa, bonne-maman, voulez-vous
me le donner?...

GRAND-PAPA TYL

Bien oui, peut-être bien... Qu'en penses-tu,
maman Tyl?...

GRAND'MAMAN TYL

Bien sûr, bien sûr... A quoi qu'il sert ici... Il
ne fait que dormir... On ne l'entend jamais...

TYLTYL

Je vais le mettre dans ma cage... Tiens, où
est-elle, ma cage?... Ah! c'est vrai, je l'ai oubliée
derrière le gros arbre... (Il court à l'arbre, rapporte la
cage et y enferme le merle.) Alors, vrai, vous me le

donnez pour de vrai?... C'est la Fée qui sera
contente!... Et la Lumière donc!...

GRAND-PAPA TYL

Tu sais, je n'en réponds pas, de l'oiseau... Je
crains bien qu'il ne puisse plus s'habituer à la
vie agitée de là-haut, et qu'il ne revienne ici
par le premier bon vent... Enfin, on verra bien...
Laisse-le là, pour l'instant, et viens donc voir la
vache...

TYLTYL, remarquant les ruches.

Et les abeilles, dis, comment vont-elles?...

GRAND-PAPA TYL

Mais elles ne vont pas mal... Elles ne vivent
plus non plus, comme vous dites là-bas; mais
elles travaillent ferme...

TYLTYL, s'approchant des ruches.

Oh oui!... Ça sent le miel!... Les ruches doivent être lourdes!... Toutes les fleurs sont si
belles!... Et mes petites sœurs qui sont mortes,
sont-elles ici aussi?...

MYTYL

Et mes trois petits frères qu'on avait enter-
rés, où sont-ils?...

> A ces mots, sept petits enfants de tailles inégales, en flûte
> de Pan, sortent un à un de la maison.

GRAND'MAMAN TYL

Les voici, les voici!... Aussitôt qu'on y pense,
aussitôt qu'on en parle, ils sont là, les gail-
lards!...

> Tyltyl et Mytyl courent au-devant des enfants. On se bous-
> cule, on s'embrasse, on danse, on tourbillonne, on
> pousse des cris de joie.

TYLTYL

Tiens, Pierrot!... (Ils se prennent aux cheveux.) Ah!
nous allons nous battre encore comme dans le
temps... Et Robert!... Bonjour, Jean!... Tu n'as
plus ta toupie?... Madeleine et Pierrette, Pauline et puis Riquette...

MYTYL

Oh! Riquette, Riquette!... Elle marche encore
à quatre pattes!...

GRAND'MAMAN TYL

Oui, elle ne grandit plus...

TYLTYL, remarquant le petit Chien qui jappe autour d'eux.

Voilà Kiki dont j'ai coupé la queue avec les ciseaux de Pauline... Il n'a pas changé non plus...

GRAND-PAPA TYL, sentencieux.

Non, rien ne change ici...

TYLTYL

Et Pauline a toujours son bouton sur le nez!...

GRAND'MAMAN TYL

Oui, il ne s'en va pas; il n'y a rien à faire...

TYLTYL

Oh! qu'ils ont bonne mine, qu'ils sont gras et luisants!... Qu'ils ont de belles joues!... Ils ont l'air bien nourris...

GRAND'MAMAN TYL

Ils se portent bien mieux depuis qu'ils ne

vivent plus... Il n'y a plus rien à craindre, on
n'est jamais malade, on n'a plus d'inquiétudes...

Dans la maison, l'horloge sonne huit heures.

GRAND'MAMAN TYL, stupéfaite.

Qu'est-ce que c'est?...

GRAND-PAPA TYL

Ma foi, je ne sais pas... Ce doit être l'horloge...

GRAND-MAMAN TYL

Ce n'est pas possible... Elle ne sonne jamais...

GRAND-PAPA TYL

Parce que nous ne pensons plus à l'heure...
Quelqu'un a-t-il pensé à l'heure?...

TYLTYL

Oui, c'est moi... Quelle heure est-il?...

GRAND-PAPA TYL

Ma foi, je ne sais plus... J'ai perdu l'habitude... Elle a sonné huit coups, ce doit être ce
que, là-haut, ils appellent huit heures.

TYLTYL

La Lumière m'attend à neuf heures moins le
quart... C'est à cause de la Fée... C'est extrêmement important... Je me sauve...

GRAND'MAMAN TYL

Vous n'allez pas nous quitter ainsi au moment du souper!... Vite, vite, dressons la table
devant la porte... J'ai justement une excellente
soupe aux choux et une belle tarte aux prunes...

> On sort la table, on la dresse devant la porte, on apporte
> les plats, les assiettes, etc... Tous y aident.

TYLTYL

Ma foi, puisque j'ai l'Oiseau-Bleu... Et puis
la soupe aux choux, il y a si longtemps!... Depuis
que je voyage... On n'a pas ça dans les hôtels...

GRAND'MAMAN TYL

Voilà!... C'est déjà fait... A table, les enfants...
Si vous êtes pressés, ne perdons pas de temps...

> On a allumé la lampe et servi la soupe. Les grands-
> parents et les enfants s'assoient autour du repas du
> soir, parmi des bousculades, des bourrades, des cris
> et des rires de joie.

TYLTYL, mangeant gloutonnement.

Qu'elle est bonne!... Mon Dieu, qu'elle est donc bonne!... J'en veux encore! encore!...

Il brandit sa cuiller de bois et en frappe bruyamment son assiette.

GRAND-PAPA TYL

Voyons, voyons, un peu de calme... Tu es toujours aussi mal élevé; et tu vas casser ton assiette...

TYLTYL, se dressant à demi sur son escabelle.

J'en veux encore, encore!...

Il atteint et attire à soi la soupière qui se renverse et se répand sur la table, et de là sur les genoux des convives. Cris et hurlements d'échaudés.

GRAND'MAMAN TYL

Tu vois!... Je te l'avais bien dit...

GRAND-PAPA TYL, donnant à Tyltyl une gifle retentissante.

Voilà pour toi!...

TYLTYL, un instant déconcerté, mettant ensuite la main sur la joue, avec ravissement.

Oh! oui, c'était comme ça, les claques que tu donnais quand tu étais vivant... Bon-papa, qu'elle est bonne et que ça fait du bien!... Il faut que je t'embrasse!...

GRAND-PAPA TYL

Bon, bon ; il y en a encore si ça te fait plaisir...

La demie de huit heures sonne à l'horloge.

TYLTYL, sursautant.

Huit heures et demie !... (Il jette sa cuiller.) Mytyl, nous n'avons que le temps !...

GRAND-MAMAN TYL

Voyons !... Encore quelques minutes !... Le feu n'est pas à la maison... On se voit si rarement...

TYLTYL

Non, ce n'est pas possible... La Lumière est si bonne... Et je lui ai promis... Allons, Mytyl, allons !...

GRAND-PAPA TYL

Dieu, que les Vivants sont donc contrariants avec toutes leurs affaires et leurs agitations !...

TYLTYL, prenant sa cage et embrassant tout le monde en hâte et à la ronde.

Adieu, Bon-papa... Adieu, Bonne-maman... Adieu, frères, sœurs, Pierrot, Robert, Pauline,

Madeleine, Riquette, et toi aussi, Kiki!... Je sens
bien que nous ne pouvons plus rester ici... Ne
pleure pas, Bonne-maman, nous reviendrons
souvent...

GRAND'MAMAN TYL

Revenez tous les jours!...

TYLTYL

Oui, oui! nous reviendrons le plus souvent
possible...

GRAND'MAMAN TYL

C'est notre seule joie, et c'est une telle fête
quand votre pensée nous visite!...

GRAND-PAPA TYL

Nous n'avons pas d'autres distractions...

TYLTYL

Vite, vite!... Ma cage!... Mon oiseau!...

GRAND-PAPA TYL, lui passant la cage.

Les voici!... Tu sais, je ne garantis rien; et s'il
n'est pas bon teint!...

TYLTYL

Adieu! adieu!...

LES FRÈRES ET SŒURS TYL

Adieu, Tyltyl!... Adieu, Mytyl!... Pensez au sucre d'orge!... Adieu!... Revenez!... Revenez!...

> Tous agitent des mouchoirs tandis que Tyltyl et Mytyl s'éloignent lentement. Mais déjà, durant les dernières répliques, le brouillard du début s'est graduellement reformé, et le son des voix s'est affaibli, de manière qu'à la fin de la scène, tout a disparu dans la brume et qu'au moment où le rideau baisse, Tyltyl et Mytyl se retrouvent seuls visibles sous le gros chêne.

TYLTYL

C'est par ici, Mytyl...

MYTYL

Où est la Lumière?...

TYLTYL

Je ne sais pas... (Regardant l'oiseau dans la cage.) Tiens! l'oiseau n'est plus bleu!... Il est devenu noir!...

MYTYL

Donne-moi la main, petit frère... J'ai bien peur et bien froid...

RIDEAU

ACTE TROISIÈME

QUATRIÈME TABLEAU

LE PALAIS DE LA NUIT

Une vaste et prodigieuse salle d'une magnificence austère, rigide, métallique et sépulcrale, donnant l'impression d'un temple grec ou égyptien, dont les colonnes, les architraves, les dalles, les ornements seraient de marbre noir, d'or et d'ébène. La salle est en forme de trapèze. Des degrés de basalte, qui occupent presque toute sa largeur, la divisent en trois plans successifs qui s'élèvent graduellement vers le fond. A droite et à gauche, entre les colonnes, des portes de bronze sombre. Au fond, porte d'airain monumentale. Une lumière diffuse qui semble émaner de l'éclat même du marbre et de l'ébène éclaire seule le palais.

---

u lever du rideau, la Nuit, sous la figure d'une très belle femme, couverte de longs vêtements noirs, est assise sur les marches du second plan, entre deux enfants. dont l'un, presque nu, comme l'Amour, sourit dans un profond sommeil, tandis que l'autre se tient debout, immobile et voilé des pieds à la tête. — Entre, à droite, au premier plan, la Chatte.

LA NUIT

Qui va là?...

7.

LA CHATTE, se laissant choir avec accablement
sur les degrés de marbre.

C'est moi, mère la Nuit... Je n'en peux plus...

LA NUIT

Qu'as-tu donc, mon enfant?... Tu es pâle,
amaigrie et te voilà crottée jusqu'aux mous-
taches... Tu t'es encore battue dans les gouttières, sous la neige et la pluie?...

LA CHATTE

Il est bien question de gouttières!... C'est de
notre secret qu'il s'agit!... C'est le commencement de la fin!... J'ai pu m'échapper un instant
pour vous prévenir; mais je crains bien qu'il n'y
ait rien à faire...

LA NUIT

Quoi?... Qu'est-il donc arrivé?...

LA CHATTE

Je vous ai déjà parlé du petit Tyltyl, le fils
du bûcheron, et du Diamant merveilleux.... Eh
bien, il vient ici pour vous réclamer l'Oiseau-
Bleu...

LA NUIT

Il ne le tient pas encore...

LA CHATTE

Il le tiendra bientôt, si nous ne faisons pas quelque miracle... Voici ce qui se passe : la Lumière qui le guide et qui nous trahit tous, car elle s'est mise entièrement du parti de l'Homme, la Lumière vient d'apprendre que l'Oiseau-Bleu, le vrai, le seul qui puisse vivre à la clarté du jour, se cache ici, parmi les oiseaux bleus des songes qui se nourrissent des rayons de lune et meurent dès qu'ils voient le soleil... Elle sait qu'il lui est interdit de franchir le seuil de votre palais; mais elle y envoie les enfants; et comme vous ne pouvez pas empêcher l'Homme d'ouvrir les portes de vos secrets, je ne sais trop comment tout cela finira... En tout cas, s'ils avaient le malheur de mettre la main sur le véritable Oiseau-Bleu, nous n'aurions plus qu'à disparaître...

LA NUIT

Seigneur, Seigneur!... En quels temps vivons-

nous! Je n'ai plus une minute de repos... Je
ne comprends plus l'Homme, depuis quelques
années... Où veut-il en venir?... Il faut donc
qu'il sache tout?... Il a déjà saisi le tiers de mes
Mystères, toutes mes Terreurs ont peur et
n'osent plus sortir, mes Fantômes sont en fuite,
la plupart de mes Maladies ne se portent pas
bien...

LA CHATTE

Je sais, ma mère la Nuit, je sais, les temps
sont durs, et nous sommes presque seules à
lutter contre l'Homme... Mais je les entends
qui s'approchent... Je ne vois qu'un moyen :
comme ce sont des enfants, il faut leur faire une
telle peur qu'ils n'oseront pas insister ni ouvrir
la grande porte du fond, derrière laquelle se
trouvent les oiseaux de la Lune... Les secrets
des autres cavernes suffiront à détourner leur
attention ou à les terrifier...

LA NUIT, prêtant l'oreille à un bruit du dehors.

Qu'est-ce que j'entends?... Ils sont donc plusieurs?

LA CHATTE

Ce n'est rien; ce sont nos amis : le Pain et le
Sucre; l'Eau est indisposée et le Feu n'a pu
venir, parce qu'il est parent de la Lumière...
Il n'y a que le Chien qui ne soit pas pour nous;
mais il n'y a jamais moyen de l'écarter...

> Entrent timidement, à droite, au premier plan, Tyltyl,
> Mytyl, le Pain, le Sucre et le Chien.

LA CHATTE, se précipitant au-devant de Tyltyl.

Par ici, par ici, mon petit maître... J'ai prévenu la Nuit qui est enchantée de vous recevoir... Il faut l'excuser, elle est un peu souf-
frante; c'est pourquoi elle n'a pu aller au-devant
de vous...

TYLTYL

Bonjour, madame la Nuit...

LA NUIT, froissée.

Bonjour? Je ne connais pas ça... Tu pourrais
bien me dire : bonne nuit, ou tout au moins :
bonsoir...

TYLTYL, mortifié.

Pardon, madame... Je ne savais pas... (Montran du doigt les deux enfants.) Ce sont vos deux petits garçons?... Ils sont bien gentils...

LA NUIT

Oui, voici le Sommeil...

TYLTYL

Pourquoi qu'il est si gros?...

LA NUIT

C'est parce qu'il dort bien...

TYLTYL

Et l'autre qui se cache?... Pourquoi qu'il se voile la figure?... Est-ce qu'il est malade?... Comment c'est qu'il se nomme?...

LA NUIT

C'est la sœur du Sommeil... Il vaut mieux ne pas la nommer...

TYLTYL

Pourquoi?...

LA NUIT

Parce que c'est un nom qu'on n'aime pas à
entendre... Mais parlons d'autre chose... La
Chatte vient de me dire que vous venez ici pour
chercher l'Oiseau-Bleu?...

TYLTYL

Oui, madame, si vous le permettez... Voulez-
vous me dire où il est?...

LA NUIT

Je n'en sais rien, mon petit ami... Tout ce que
je puis affirmer, c'est qu'il n'est pas ici... Je ne
l'ai jamais vu...

TYLTYL

Si, si... La Lumière m'a dit qu'il est ici; et
elle sait ce qu'elle dit, la Lumière... Voulez-
vous me remettre vos clefs?...

LA NUIT

Mais, mon petit ami, tu comprends bien que

je ne puis donner ainsi mes clefs au premier venu... J'ai la garde de tous les secrets de la Nature, j'en suis responsable et il m'est absolument défendu de les livrer à qui que ce soit, surtout à un enfant...

TYLTYL

Vous n'avez pas le droit de les refuser à l'Homme qui les demande... je le sais...

LA NUIT

Qui te l'a dit?...

TYLTYL

La Lumière...

LA NUIT

Encore la Lumière! et toujours la Lumière!... De quoi se mêle-t-elle à la fin?...

LE CHIEN

Veux-tu que je les lui prenne de force, mon petit dieu?...

TYLTYL

Tais-toi, tiens-toi tranquille et tâche d'être

poli... (A la Nuit.) Voyons, madame, donnez-moi
vos clefs, s'il vous plaît...

LA NUIT

As-tu le signe, au moins?... Où est-il?...

TYLTYL, touchant son chapeau.

Voyez le Diamant...

LA NUIT, se résignant à l'inévitable.

Enfin... Voici celle qui ouvre toutes les portes
de la salle... Tant pis pour toi s'il t'arrive
malheur... Je ne réponds de rien.

LE PAIN, fort inquiet.

Est-ce que c'est dangereux?...

LA NUIT

Dangereux?... C'est-à-dire que moi-même je
ne sais trop comment je pourrai m'en tirer,
lorsque certaines de ces portes de bronze s'ou-
vriront sur l'abîme... Il y a là, tout autour de la
salle, dans chacune de ces cavernes de basalte,
tous les maux, tous les fléaux, toutes les mala-

dies, toutes les épouvantes, toutes les catas-
trophes, tous les mystères qui affligent la vie
depuis le commencement du monde... J'ai eu
assez de mal à les enfermer là avec l'aide du
Destin; et ce n'est pas sans peine, je vous assure, que je maintiens un peu d'ordre parmi ces
personnages indisciplinés... On voit ce qu'il
arrive lorsque l'un d'eux s'échappe et se montre
sur terre...

LE PAIN

Mon grand âge, mon expérience et mon dé-
vouement font de moi le protecteur naturel de
ces deux enfants; c'est pourquoi, madame la
Nuit, permettez-moi de vous poser une question...

LA NUIT

Faites...

LE PAIN

En cas de danger, par où faut-il fuir?...

LA NUIT

Il n'y a pas moyen de fuir.

TYLTYL, prenant la clef et montant les premières marches.

Commençons par ici... Qu'y a-t-il derrière cette porte de bronze?...

LA NUIT

Je crois que ce sont les Fantômes... Il y a bien longtemps que je ne l'ai ouverte et qu'ils ne sont sortis...

TYLTYL, mettant la clef dans la serrure.

Je vais voir... (Au Pain) Avez-vous la cage de l'Oiseau-Bleu?...

LE PAIN, claquant des dents.

Ce n'est pas que j'aie peur, mais ne croyez-vous pas qu'il serait préférable de ne pas ouvrir et de regarder par le trou de la serrure?...

TYLTYL

Je ne vous demande pas votre avis...

MYTYL, se mettant à pleurer tout à coup.

J'ai peur!... Où est le Sucre?... Je veux rentrer à la maison!...

LE SUCRE, empressé, obséquieux.

Ici, mademoiselle, je suis ici... Ne pleurez pas,
je vais couper un de mes doigts pour vous offrir
un sucre d'orge...

TYLTYL

Finissons-en...

> Il tourne la clef et entr'ouvre prudemment la porte. Aus-
> sitôt s'échappent cinq ou six Spectres de formes diverses
> et étranges qui se répandent de tous côtés. Le Pain
> épouvanté jette la cage et va se cacher au fond de la
> salle, pendant que la Nuit, pourchassant les Spectres,
> crie à Tyltyl :

LA NUIT

Vite! vite!... Ferme la porte!... Ils s'échappe-
raient tous et nous ne pourrions plus les rat-
traper!... Ils s'ennuient là-dedans, depuis que
l'Homme ne les prend plus au sérieux... (Elle
pourchasse les Spectres en s'efforçant, à l'aide d'un fouet
formé de serpents, de les ramener vers la porte de leur prison)
Aidez-moi!... Par ici!... Par ici!...

TYLTYL, au Chien.

Aide-là, Tylô, vas-y donc!...

LE CHIEN, bondissant en aboyant.

Oui! oui! oui!...

TYLTYI

Et le Pain, où est-il?...

LE PAIN, du fond de la salle.

Ici... Je suis près de la porte pour les empêcher de sortir...

Comme un des Spectres s'avance de ce côté, il fuit à
toutes jambes, en poussant des hurlements d'épouvante.

LA NUIT, à trois Spectres qu'elle a pris au collet.

Par ici, vous autres!... (A Tyltyl.) Rouvre un
peu la porte... (Elle pousse les Spectres dans la caverne.)
Là, ça va bien... (Le Chien en ramène deux autres.) Et
encore ceux-ci... Voyons, vite, rangez-vous...
Vous savez bien que vous ne sortez plus qu'à la
Toussaint.

Elle referme la porte.

TYLTYL, allant à une autre porte

Qu'y a-t-il derrière celle-ci?...

LA NUIT

A quoi bon?... Je te l'ai déjà dit, l'Oiseau-Bleu

8.

n'est jamais venu par ici... Enfin, comme tu voudras... Ouvre-la si ça te fait plaisir... Ce sont les Maladies...

TYLTYL, la clef dans la serrure.

Est-ce qu'il faut prendre garde en ouvrant?...

LA NUIT

Non, ce n'est pas la peine... Elles sont bien tranquilles, les pauvres petites... Elles ne sont pas heureuses... L'Homme, depuis quelque temps, leur fait une telle guerre!... Surtout depuis la découverte des microbes... Ouvre donc, tu verras...

Tyltyl ouvre la porte toute grande. Rien ne paraît.

TYLTYL

Elles ne sortent pas?...

LA NUIT

Je t'avais prévenu, presque toutes sont souffrantes et bien découragées... Les médecins ne sont pas gentils pour elles... Entre donc un instant, tu verras...

Tyltyl entre dans la caverne et ressort aussitôt après.

TYLTYL

L'Oiseau-Bleu n'y est pas... Elles ont l'air bien malades, vos Maladies... Elles n'ont même pas levé la tête... (Une petite Maladie, en pantoufles, robe de chambre et bonnet de coton, s'échappe de la caverne et se met à gambader dans la salle.) Tiens!... Une petite qui s'évade!... Qu'est-ce que c'est?...

LA NUIT

Ce n'est rien, c'est la plus petite, c'est le Rhume de cerveau... C'est une de celles qu'on persécute le moins et qui se portent le mieux... (Appelant le Rhume de cerveau.) Viens ici, ma petite... C'est trop tôt; il faut attendre le printemps...

Le Rhume de cerveau, éternuant, toussant et se mouchant, rentre dans la caverne dont Tyltyl referme la porte.

TYLTYL, allant à la porte voisine.

Voyons donc celle-ci... Qu'est-ce que c'est?...

LA NUIT

Prends garde... Ce sont les Guerres... Elles sont plus terribles et plus puissantes que jamais... Dieu sait ce qui arriverait si l'une d'elles s'échappait!... Heureusement, elles sont assez obèses et manquent d'agilité... Mais tenons-nous prêts à repousser la porte tous ensemble, pendant que tu jetteras un rapide coup d'œil dans la caverne...

> Tyltyl, avec mille précautions, entrebâille la porte de manière qu'il n'y ait qu'une petite fente où il puisse appliquer l'œil. Aussitôt, il s'arc-boute en criant :

TYLTYL

Vite! vite!... Poussez donc!... Elles m'ont vu!... Elles viennent toutes!... Elles ouvrent la porte!...

LA NUIT

Allons, tous!... Poussez ferme!... Voyons, le Pain, que faites-vous?... Poussez tous!... Elles ont une force!... Ah! voilà! Ça y est... Elles cèdent... Il était temps!... As-tu vu?...

TYLTYL

Oui, oui!... Elles sont énormes, épouvantables!... Je crois qu'elles n'ont pas l'Oiseau-Bleu...

LA NUIT

Bien sûr qu'elles ne l'ont point... Elles le mangeraient tout de suite... Eh bien, en as-tu assez?... Tu vòis bien qu'il n'y a rien à faire...

TYLTYL

Il faut que je voie tout... La Lumière l'a dit...

LA NUIT

La Lumière l'a dit... C'est facile à dire quand on a peur et qu'on reste chez soi...

TYLTYL

Allons à la suivante... Qu'est-ce?...

LA NUIT

Ici, j'enferme les Ténèbres et les Terreurs...

TYLTYL

Est-ce qu'on peut ouvrir?...

LA NUIT

Parfaitement... Elles sont assez tranquilles; c'est comme les Maladies...

TYLTYL, entr'ouvrant la porte avec une certaine méfiance
et risquant un regard dans la caverne.

Elles n'y sont pas...

LA NUIT, regardant à son tour dans la caverne.

Eh bien, les Ténèbres, que faites-vous?... Sortez donc un instant, ça vous fera du bien, ça
vous dégourdira. Et les Terreurs aussi... Il n'y
a rien à craindre... (Quelques Ténèbres et quelques
Terreurs, sous la figure de femmes couvertes, les premières
de voiles noirs, les dernières de voiles verdâtres, risquent pi-
teusement quelques pas hors de la caverne, et, sur un geste
qu'ébauche Tyltyl, rentrent précipitamment.) Voyons, te-
nez-vous donc... C'est un enfant, il ne vous
fera pas de mal... (A Tyltyl). Elles sont devenues
extrêmement timides; excepté les grandes,
celles que tu vois au fond...

TYLTYL, regardant vers le fond de la caverne.

Oh! qu'elles sont effrayantes!...

LA NUIT

Elles sont enchaînées... Ce sont les seules qui
n'aient pas peur de l'Homme... Mais referme la
porte, de crainte qu'elles ne se fâchent...

TYLTYL, allant à la porte suivante.

Tiens!... Celle-ci est plus sombre... Qu'est-ce que c'est?...

LA NUIT

Il y a plusieurs Mystères derrière celle-ci... Si tu y tiens absolument, tu peux l'ouvrir aussi... Mais n'entre pas... Sois bien prudent, et puis préparons-nous à repousser la porte, comme nous avons fait pour les Guerres...

TYLTYL, entr'ouvrant avec des précautions inouïes, et passant craintivement la tête dans l'entre-bâillement.

Oh!... Quel froid!... Mes yeux cuisent!... Fermez vite!... Poussez donc! On repousse!... (La Nuit, le Chien, la Chatte et le Sucre repoussent la porte.) Oh! j'ai vu!...

LA NUIT

Quoi donc?...

TYLTYL, bouleversé.

Je ne sais pas, c'était épouvantable!... Ils étaient tous assis comme des monstres sans yeux... Quel était le géant qui voulait me saisir?...

LA NUIT

C'est probablement le Silence; il a la garde de cette porte... Il paraît que c'était effrayant?... Tu en es encore tout pâle et tout tremblant...

TYLTYL

Oui, je n'aurais pas cru... Je n'avais jamais vu... Et j'ai les mains gelées...

LA NUIT

Ce sera bien pis tout à l'heure si tu continues...

TYLTYL, allant à la porte suivante.

Et celle-ci?... Est-elle aussi terrible?...

LA NUIT

Non, il y a un peu de tout... J'y mets les Étoiles sans emploi, mes parfums personnels, quelques Lueurs qui m'appartiennent, tels que feux-follets, vers luisants, lucioles; on y serre aussi la Rosée, le Chant des Rossignols, etc...

TYLTYL

Justement, les Étoiles, le Chant des Rossignols... Ce doit être celle-là.

LA NUIT

Ouvre-donc si tu veux; tout cela n'est pas bien
méchant...

Tyltyl ouvre la porte toute grande. Aussitôt les Étoiles,
sous la forme de belles jeunes filles voilées de lueurs
versicolores, s'échappent de leur prison, se répandent
dans la salle et forment sur les marches et autour des
colonnes de gracieuses rondes baignées d'une sorte de
lumineuse pénombre. Les Parfums de la Nuit, presque
invisibles, les Feux-follets, les Lucioles, la Rosée transparente se joignent à elles, cependant que le Chant des
Rossignols, sortant à flots de la caverne, inonde le
palais nocturne.

MYTYL, ravie, battant des mains.

Oh! les jolies madames!...

TYLTYL

Et qu'elles dansent bien!...

MYTYL

Et qu'elles sentent bon!...

9

TYLTYL

Et qu'elles chantent bien!...

MYTYL

Qu'est-ce que c'est, ceux-là, qu'on ne voit presque pas?...

LA NUIT

Ce sont les Parfums de mon ombre...

TYLTYL

Et les autres, là-bas, qui sont en verre filé?...

LA NUIT

C'est la Rosée des forêts et des plaines... Mais en voilà assez... Ils n'en finiraient pas... C'est le diable de les faire rentrer une fois qu'ils se sont mis à danser... (Frappant dans ses mains.) Allons, vite, les Étoiles!... Ce n'est pas le moment de danser... Le ciel est couvert, il y a de gros nuages... Allons, vite, rentrez tous, sinon j'irai chercher un rayon de soleil...

> Fuite épouvantée des Étoiles, Parfums, etc..., qui se précipitent dans la caverne que l'on referme sur eux. En même temps s'éteint le Chant des Rossignols.

TYLTYL, allant à la porte du fond.

Voici la grande porte du milieu...

LA NUIT, gravement.

N'ouvre pas celle-ci...

TYLTYL

Pourquoi?...

LA NUIT

Parce que c'est défendu...

TYLTYL

C'est donc là que se cache l'Oiseau-Bleu; la
Lumière me l'a dit...

LA NUIT, maternelle.

Écoute-moi, mon enfant... J'ai été bonne et
complaisante... J'ai fait pour toi ce que je n'avais
fait jusqu'ici pour personne... Je t'ai livré tous
mes secrets... Je t'aime bien, j'ai pitié de ta
jeunesse et de ton innocence et je te parle comme
une mère... Écoute-moi et crois-moi, mon en-

fant, renonce, ne va point plus avant, ne tente pas le Destin, n'ouvre pas cette porte...

TYLTYL, assez ébranlé.

Mais pourquoi?...

LA NUIT

Parce que je ne veux pas que tu te perdes... Parce que nul de ceux, entends-tu, nul de ceux qui l'ont entr'ouverte, ne fût-ce que de l'épaisseur d'un cheveu, n'est revenu vivant à la lumière du jour... Parce que tout ce qu'on peut imaginer d'épouvantable, parce que toutes les terreurs, toutes les horreurs dont on parle sur terre, ne sont rien, comparées à la plus innocente de celles qui assaillent un homme dès que son œil effleure les premières menaces de l'abîme auquel personne n'ose donner un nom... C'est au point que moi-même, si tu t'obstines, malgré tout, à toucher cette porte, je te demanderai d'attendre que je sois à l'abri dans ma tour sans fenêtres... Maintenant c'est à toi de savoir, à toi de réfléchir...

Mytyl, tout en larmes, pousse des cris de terreur inarticulés et cherche à entraîner Tyltyl.

LE PAIN, claquant des dents.

Ne le faites pas, mon petit maître!... (Se jetant à genoux.) Ayez pitié de nous!... Je vous le demande à genoux... Vous voyez que la Nuit a raison...

LA CHATTE

C'est notre vie à tous que vous sacrifiez...

TYLTYL

Je dois l'ouvrir...

MYTYL, trépignant parmi des sanglots.

Je ne veux pas!... Je ne veux pas!...

TYLTYL

Que le Sucre et le Pain prennent Mytyl par la main et se sauvent avec elle... Je vais ou-vrir...

LA NUIT

Sauve qui peut!... Venez vite!... Il est temps!...

Elle fuit.

9.

LE PAIN, fuyant éperdument.

Attendez au moins que nous soyons au bout de la salle!...

LA CHATTE, fuyant également.

Attendez!... attendez!...

> Ils se cachent derrière les colonnes à l'autre bout de la salle. Tyltyl reste seul avec le Chien, près de la porte monumentale.

LE CHIEN, haletant et hoquetant d'épouvante contenue.

Moi, je reste, je reste... Je n'ai pas peur... Je reste!... Je reste près de mon petit dieu... Je reste!... Je reste...

TYLTYL, caressant le Chien.

C'est bien, Tylô, c'est bien!... Embrasse-moi... Nous sommes deux... Maintenant gare à nous!... (Il met la clef dans la serrure. Un cri d'épouvante part de l'autre bout de la salle où se sont réfugiés les fuyards. A peine la clef a-t-elle touché la porte que les hauts battants de celle-ci s'ouvrent par le milieu, glissent latéralement et disparaissent,

à droite et à gauche, dans l'épaisseur des murs, découvrant
tout à coup, irréel, infini, ineffable, le plus inattendu des jardins de rêve et de lumière nocturne, où, parmi les étoiles et les
planètes, illuminant tout ce qu'ils touchent, volant sans cesse
de pierreries en pierreries, de rayons de lune en rayons de
lune, de féeriques oiseaux bleus évoluent perpétuellement et
harmonieusement jusqu'aux confins de l'horizon, innombrables
au point qu'ils semblent être le souffle, l'atmosphère azurée,
la substance même du jardin merveilleux. — Tyltyl, ébloui,
éperdu, debout dans la lumière du jardin :) Oh !... le ciel !...
(Se tournant vers ceux qui ont fui.) Venez vite !... Ils
sont là !... C'est eux ! c'est eux ! c'est eux !... Nous
les tenons enfin !... Des milliers d'oiseaux bleus !
Des millions !... Des milliards !... Il y en aura
trop !... Viens, Mytyl !... Viens, Tylô !... Venez
tous !... Aidez-moi !... (S'élançant parmi les oiseaux.) On
les prend à pleines mains !... Ils ne sont pas
farouches !... Ils n'ont pas peur de nous !... Par
ici ! par ici !... (Mytyl et les autres accourent. Ils entrent
tous dans le jardin éblouissant, hormis la Nuit et la Chatte.)
Vous voyez !... Ils sont trop !... Ils viennent
dans mes mains !... Regardez donc, ils mangent
les rayons de la lune !... Mytyl, où donc es-tu ?...
Il y a tant d'ailes bleues, tant de plumes qui
tombent qu'on n'y voit plus du tout !... Tylô !
ne les mord pas... Ne leur fais pas de mal !...
Prends-les très doucement !

MYTYL, enveloppée d'oiseaux bleus.

J'en ai déjà pris sept!... Oh! qu'ils battent des ailes!... Je ne puis les tenir!...

TYLTYL

Moi non plus!... J'en ai trop!... Ils s'échappent!... Ils reviennent!... Tylô en a aussi!... Ils vont nous entraîner!... nous porter dans le ciel!... Viens, sortons par ici!... La Lumière nous attend!... Elle sera contente!... Par ici, par ici!...

> Ils s'évadent du jardin, les mains pleines d'oiseaux qui se débattent, et, traversant toute la salle parmi l'affolement des ailes azurées, sortent à droite, par où ils sont entrés, suivis du Pain et du Sucre qui n'ont pas pris d'oiseaux. — Restés seuls, la Nuit et la Chatte remontent vers le fond et regardent anxieusement dans le jardin.

LA NUIT

Ils ne l'ont pas?...

LA CHATTE

Non... Je le vois là sur ce rayon de lune... Ils

n'ont pas pu l'atteindre, il se tenait trop haut...

Le rideau tombe. Aussitôt après, devant le rideau tombé, entrent simultanément, à gauche la Lumière, à droite Tyltyl, Mytyl et le Chien, accourant tout couverts des oiseaux qu'ils viennent de capturer. Mais déjà ceux-ci paraissent inanimés et, la tête pendante et les ailes brisées, ne sont plus dans leurs mains que d'inertes dépouilles.

LA LUMIÈRE

Eh bien, l'avez-vous-pris?...

TYLTYL

Oui, oui!... Tant qu'on voulait... Il y en a des milliers!... Les voici!... Les vois-tu!... (Regardant les oiseaux qu'il tend vers la Lumière et s'apercevant qu'ils sont morts.) Tiens!... Ils ne vivent plus... Qu'est-ce qu'on leur a fait?... Les tiens aussi, Mytyl?... Ceux de Tylô aussi. (Jetant avec colère les cadavres d'oiseaux.) Ah! non, c'est trop vilain!... Qui est-ce qui les a tués?... Je suis trop malheureux!..

Il se cache la tête sous le bras et paraît tout secoué de sanglots.

LA LUMIÈRE, le serrant maternellement dans ses bras.

Ne pleure pas, mon enfant... Tu n'as pas

pris celui qui peut vivre en plein jour... Il est
allé ailleúrs... Nous le retrouverons...

LE CHIEN, regardant les oiseaux morts.

Est-ce qu'on peut les manger?...

Ils sortent tous à gauche.

CINQUIÈME TABLEAU

LA FORÊT

Une forêt. — Il fait nuit. — Clair de lune. — Vieux arbres de diverses espèces, notamment : un chêne, un hêtre, un orme, un peuplier, un sapin, un cyprès, un tilleur, un marronnier, etc.

———

Entre la Chatte.

LA CHATTE, saluant les arbres à la ronde.

Salut à tous les arbres !...

MURMURE DES FEUILLAGES

Salut !...

LA CHATTE

C'est un grand jour que ce jour-ci !... Notre ennemi vient délivrer vos énergies et se livrer

lui-même... C'est Tyltyl, le fils du bûcheron qui
vous a fait tant de mal... Il cherche l'Oiseau-
Bleu que vous cachez à l'Homme depuis le
commencement du monde, et qui sait seul notre
secret... (Murmure dans les feuilles.) Vous dites?...
Ah! c'est le Peuplier qui parle... Oui, il possède
un Diamant qui a la vertu de délivrer un instant nos esprits; il peut nous forcer à livrer
l'Oiseau-Bleu, et nous serons dès lors, définitivement, à la merci de l'Homme...(Murmure dans les
feuilles.) Qui parle?... Tiens! c'est le Chêne...
Comment allez-vous?... (Murmure dans les feuilles du
Chêne.) Toujours enrhumé?... La Réglisse ne vous
soigne plus?... Toujours les rhumatismes?...
Croyez-moi, c'est à cause de la mousse; vous en
mettez trop sur vos pieds... L'Oiseau-Bleu est
toujours chez vous?... (Murmures dans les feuilles du
Chêne.) Vous dites?... Oui, il n'y a pas à hésiter,
il faut en profiter, il faut qu'il disparaisse...
(Murmure dans les feuilles.) Plaît-il?... Oui, il est avec
sa petite sœur; il faut qu'elle meure aussi...
(Murmure dans les feuilles.) Oui, le Chien les accom-
pagne; il n'y a pas moyen de l'éloigner... (Murmure dans les feuilles.) Vous dites?... Le corrompre?...
Impossible... J'ai essayé de tout... (Murmures parmi
les feuilles.) Ah! c'est toi, le Sapin?... Oui, pré-

pare quatre planches... Oui, il y a encore le Feu,
le Sucre, l'Eau, le Pain... Ils sont tous avec nous,
excepté le Pain qui est assez douteux... Seule la
Lumière est favorable à l'Homme; mais elle
ne viendra pas... J'ai fait croire aux petits qu'ils
devaient s'échapper en cachette pendant qu'elle
dormait... L'occasion est unique... (Murmure dans
les feuilles.) Tiens! c'est la voix du Hêtre!... Oui,
vous avez raison; il faut que l'on prévienne
les Animaux... Le Lapin a-t-il son tambour?...
Il est chez vous?... Bien, qu'il batte le rappel,
tout de suite... Les voici!...

On entend s'éloigner les roulements de tambour du
Lapin. — Entrent Tyltyl, Mytyl et le Chien.

TYLTYL

C'est ici?...

LA CHATTE, obséquieuse, doucereuse, empressée,
se précipitant au-devant des enfants.

Ah! vous voilà, mon petit maître!... Que vous
avez bonne mine et que vous êtes joli, ce soir!...
Je vous ai précédé pour annoncer votre arrivée...
Tout va bien. Cette fois nous tenons l'Oiseau-
Bleu, j'en suis sûre... Je viens d'envoyer le Lapin
battre le rappel afin de convoquer les princi-

paux Animaux du pays... On les entend déjà dans le feuillage... Écoutez !... Ils sont un peu timides et n'osent approcher... (Bruits d'animaux divers, tels que vaches, porcs, chevaux, ânes, etc. — Bas à Tyltyl, le prenant à part.) Mais pourquoi avez-vous amené le Chien ?... Je vous l'ai déjà dit, il est au plus mal avec tout le monde, même avec les arbres... Je crains bien que sa présence odieuse ne fasse tout manquer...

TYLTYL

Je n'ai pu m'en débarrasser... (Au Chien, le menaçant.) Veux-tu bien t'en aller, vilaine bête !...

LE CHIEN

Qui ?... Moi ?... Pourquoi ?... Qu'est-ce que j'ai fait ?...

TYLTYL

Je te dis de t'en aller !... On n'a que faire de toi, c'est bien simple... Tu nous embêtes à la fin !...

LE CHIEN

Je ne dirai rien... Je suivrai de loin... On ne me verra pas... Veux-tu que je fasse le beau ?...

LA CHATTE, bas, à Tyltyl.

Vous tolérez pareille désobéissance?... Donnez-lui donc quelques coups de bâton sur le nez, il est vraiment insupportable!...

TYLTYL, battant le Chien.

Voilà qui t'apprendra à obéir plus vite!...

LE CHIEN, hurlant.

Aïe! Aïe! Aïe!...

TYLTYL

Qu'en dis-tu?...

LE CHIEN

Il faut que je t'embrasse puisque tu m'as battu!...

Il embrasse et caresse violemment Tyltyl.

TYLTYL

Voyons... C'est bien... Ça suffit... Va-t'en!...

MYTYL

Non, non; je veux qu'il reste... J'ai peur de tout quand il n'est pas là...

LE CHIEN, bondissant et renversant presque Mytyl,
qu'il accable de caresses précipitées et enthousiastes.

Oh! la bonne petite fille!... Qu'elle est belle!
Qu'elle est bonne!... Qu'elle est belle, qu'elle
est douce!... Il faut que je l'embrasse! Encore!
encore! encore!...

LA CHATTE

Quel idiot!... Ma foi, nous verrons bien... Ne
perdons pas de temps... Tournez le Diamant...

TYLTYL

Où faut-il me placer?

LA CHATTE

Dans ce rayon de lune; vous y verrez plus
clair... Là! tournez doucement...

Tyltyl tourne le Diamant; aussitôt un long frémissement
agite les branches et les feuilles. Les troncs les plus
anciens et les plus imposants s'entr'ouvrent pour livrer
passage à l'âme que chacun d'eux renferme. L'aspect
de ces âmes diffère suivant l'aspect et le caractère de
l'arbre qu'elles représentent. Celle de l'Orme, par
exemple, est une sorte de gnome poussif, ventru,
bourru; celle du Tilleul est placide, familière, joviale;
celle du Hêtre, élégante et agile; celle du Bouleau,

blanche, réservée, inquiète ; celle du Saule, rabougrie,
échevelée, plaintive ; celle du Sapin, longue, efflan-
quée, taciturne ; celle du Cyprès, tragique ; celle du
Marronnier, prétentieuse, un peu snob ; celle du Peuplier, allègre, encombrante, bavarde. Les unes sortent
lentement de leur tronc, engourdies, s'étirant, comme
après une captivité ou un sommeil séculaire, les autres
s'en dégagent d'un bond, alertes, empressées, et toutes
viennent se ranger autour des deux enfants, tout en
se tenant autant que possible à proximité de l'arbre
dont elles sont nées.

LE PEUPLIER, accourant le premier et criant à tue-tête.

Des Hommes!... De petits Hommes!... On
pourra leur parler!... C'est fini le Silence!... C'est
fini!... D'où viennent-ils?... Qui est-ce?... Qui
sont-ils?... (Au Tilleul qui s'avance en fumant tranquillement sa pipe.) Les connais-tu, toi, père Tilleul?...

LE TILLEUL

Je ne me rappelle pas les avoir vus...

LE PEUPLIER

Mais si, voyons, mais si!... Tu connais tous
les Hommes, tu es toujours à te promener
autour de leurs maisons...

10.

LE TILLEUL, examinant les enfants.

Mais non, je vous assure... Je ne les connais pas... Ils sont encore trop jeunes... Je ne connais bien que les amoureux qui viennent me voir au clair de lune ; ou les buveurs de bière qui trinquent sous mes branches...

LE MARRONNIER, pincé, ajustant son monocle.

Qu'est-ce que c'est que ça ?... C'est des pauvres de la campagne ?...

LE PEUPLIER

Oh ! vous, monsieur le Marronnier, depuis que vous ne fréquentez plus que les boulevards des grandes villes...

LE SAULE, s'avançant en sabots et geignard.

Mon Dieu, mon Dieu !... Ils viennent encore me couper la tête et les bras pour en faire des fagots !...

LE PEUPLIER

Silence !... Voici le Chêne qui sort de son palais !... Il a l'air bien souffrant ce soir... Ne

trouvez-vous pas qu'il vieillit?... Quel âge
peut-il avoir?... Le Sapin dit qu'il a quatre
mille ans; mais je suis sûr qu'il exagère... Attention, il va nous dire ce que c'est...

> Le Chêne s'avance lentement. Il est fabuleusement vieux,
> couronné de gui et vêtu d'une longue robe verte bro-
> dée de mousse et de lichen. Il est aveugle, sa barbe
> blanche flotte au vent. Il s'appuie d'une main sur un
> bâton noueux et de l'autre sur un jeune Chêneau qui
> lui sert de guide. L'Oiseau-Bleu est perché sur son
> épaule. A son approche, mouvement de respect parmi
> les arbres qui se rangent et s'inclinent.

TYLTYL

Il a l'Oiseau-Bleu!... Vite! vite!... Par ici!...
Donnez-le-moi!...

LES ARBRES

Silence!...

LA CHATTE, à Tyltyl.

Découvrez-vous, c'est le Chêne!...

LE CHÊNE, à Tyltyl.

Qui es-tu?...

TYLTYL

Tyltyl, monsieur... Quand est-ce que je pourrai
prendre l'Oiseau-Bleu?...

LE CHÊNE

Tyltyl, le fils du bûcheron?...

TYLTYL

Oui, monsieur...

LE CHÊNE

Ton père nous a fait bien du mal... Dans ma seule famille il a mis à mort six cents de mes fils, quatre cent soixante-quinze oncles et tantes, douze cents cousins et cousines, trois cent quatre-vingts brus et douze mille arrière-petits-fils!...

TYLTYL

Je ne sais pas, monsieur... Il ne l'a pas fait exprès.

LE CHÊNE

Que viens-tu faire ici, et pourquoi as-tu fait sortir nos âmes de leurs demeures?...

TYLTYL

Monsieur, je vous demande pardon de vous

avoir dérangé... C'est la Chatte qui m'a dit que
vous alliez nous dire où se trouve l'Oiseau-
Bleu...

LE CHÊNE

Oui, je sais, tu cherches l'Oiseau-Bleu, c'est
à-dire le grand secret des choses et du bonheur
pour que les Hommes rendent plus dur encore
notre esclavage...

TYLTYL

Mais non, monsieur; c'est pour la petite fille
de la Fée Bérylune qui est très malade...

LE CHÊNE, lui imposant silence.

Il suffit !... Je n'entends pas les Animaux... Où
sont-ils?... Tout ceci les intéresse autant que
nous... Il ne faut pas que nous, les Arbres, assu-
mions seuls la responsabilité des mesures graves
qui s'imposent... Le jour où les Hommes appren-
dront que nous avons fait ce que nous allons
faire, il y aura d'horribles représailles... Il
convient donc que notre accord soit unanime,
pour que notre silence le soit également...

LE SAPIN, regardant par-dessus les autres arbres.

Les Animaux arrivent... Ils suivent le Lapin...
Voici l'âme du Cheval, du Taureau, du Bœuf,
de la Vache, du Loup, du Mouton, du Porc, du
Coq, de la Chèvre, de l'Ane et de l'Ours...

> Entrée successive des âmes des Animaux qui, à mesure
> que les énumère le Sapin, s'avancent et vont s'asseoir
> entre les arbres, à l'exception de l'âme de la Chèvre
> qui vagabonde çà et là, et de celle du Porc qui fouille
> les racines.

LE CHÊNE

Tous sont-ils ici présents?...

LE LAPIN

La Poule ne pouvait pas abandonner ses
œufs, le Lièvre faisait des courses, le Cerf a
mal aux cornes, le Renard est souffrant, —
voici le certificat du médecin, — l'Oie n'a pas
compris et le Dindon s'est mis en colère...

LE CHÊNE

Ces abstentions sont extrêmement regretta-
bles... Néanmoins, nous sommes en nombre
suffisant... Vous savez, mes frères, de quoi il

est question. L'enfant que voici, grâce à un
talisman dérobé aux puissances de la Terre,
peut s'emparer de notre Oiseau-Bleu, et nous
arracher ainsi le secret que nous gardons depuis l'origine de la Vie... Or, nous connaissons
assez l'Homme pour n'avoir aucun doute sur le
sort qu'il nous réserve lorsqu'il se trouvera en
possession de ce secret. C'est pourquoi il me
semble que toute hésitation serait aussi stupide
que criminelle... L'heure est grave; il faut que
l'enfant disparaisse avant qu'il soit trop tard...

TYLTYL

Que dit-il?...

LE CHIEN, rôdant autour du Chêne en montrant ses crocs.

As-tu vu mes dents, vieux perclus?...

LE HÊTRE, indigné.

Il insulte le Chêne!...

LE CHÊNE

C'est le Chien?... Qu'on l'expulse! Il ne faut
pas que nous tolérions un traître parmi nous!...

LA CHATTE, bas, à Tyltyl.

Éloignez le Chien... C'est un malentendu...
Laissez-moi faire, j'arrangerai les choses... Mais
éloignez-le au plus vite...

TYLTYL, au Chien.

Veux-tu t'en aller!...

LE CHIEN

Laisse-moi donc lui déchirer ses pantoufles
de mousse à ce vieux goutteux-là!... On va
rire!...

TYLTYL

Tais-toi donc!... Et va-t'en!... Mais va-t'en,
vilaine bête!...

LE CHIEN

Bon, bon, on s'en ira... Je reviendrai quand tu
auras besoin de moi...

LA CHATTE, bas, à Tyltyl.

Il serait plus prudent de l'enchaîner, sinon il
fera des bêtises; les Arbres se fâcheront, et
tout cela finira mal...

TYLTYL

Comment faire?... J'ai égaré sa laisse...

LA CHATTE

Voici tout juste le Lierre qui s'avance avec de
solides liens...

LE CHIEN, grondant.

Je reviendrai, je reviendrai!... Podagre!
bronchiteux!... Tas de vieux rabougris, tas de
vieilles racines!... C'est la Chatte qui mène tout!...
Je lui revaudrai ça!... Qu'as-tu donc à chuchoter
ainsi, Judas, Tigre, Bazaine!... Wa, wa! wa!...

LA CHATTE

Vous voyez, il insulte tout le monde...

TYLTYL

C'est vrai, il est insupportable et l'on ne
s'entend plus... Monsieur le Lierre, voulez-
vous l'enchaîner?...

LE LIERRE, s'approchant assez craintivement du Chien.

Il ne mordra pas?...

11

LE CHIEN, grondant.

Au contraire! au contraire!... Il va bien t'embrasser!... Attends, tu vas voir ça!... Approche, approche donc, tas de vieilles ficelles!...

TYLTYL, le menaçant du bâton.

Tylô!...

LE CHIEN, rampant aux pieds de Tyltyl en agitant la queue.

Que faut-il faire, mon petit dieu?...

TYLTYL

Te coucher, à plat ventre!... Obéis au Lierre... Laisse-toi garotter, sinon...

LE CHIEN, grondant entre les dents pendant que le Lierre le garotte.

Ficelle!... Corde à pendus!... Laisse à veaux!... Chaîne à porcs!... Mon petit dieu, regarde... Il me tord les pattes... Il m'étrangle!...

TYLTYL

Tant pis!... Tu l'as voulu!... Tais-toi, tiens-toi tranquille, tu es insupportable!...

LE CHIEN

C'est égal, tu as tort... Ils ont de vilaines in-
tentions... Mon petit dieu, prends garde!... Il
me ferme la bouche!... Je ne peux plus parler!...

LE LIERRE, qui a ficelé le Chien comme un paquet.

Où faut-il le porter?... Je l'ai bien bâil-
lonné... il ne souffle plus mot...

LE CHÊNE

Qu'on l'attache solidement là-bas, derrière
mon tronc, à ma grosse racine... Nous verrons
ensuite ce qu'il convient d'en faire... (Le Lierre
aidé du Peuplier porte le Chien derrière le tronc du Chêne.)
Est-ce fait?... Bien, maintenant que nous
voilà débarrassés de ce témoin gênant et de ce
renégat, délibérons selon notre justice et notre
vérité... Mon émotion, je ne vous le cache point,
est profonde et pénible... C'est la première fois
qu'il nous est donné de juger l'Homme et de lui
faire sentir notre puissance... Je ne crois pas
qu'après le mal qu'il nous a fait, après les mons-
trueuses injustices que nous avons subies, il
reste le moindre doute sur la sentence qui l'attend...

TOUS LES ARBRES et TOUS LES ANIMAUX

Non! Non! Non!... Pas de doute!... La pendai-
son!... La mort!... Il y a trop d'injustice!... Il a
trop abusé!... Il y a trop longtemps!... Qu'on
l'écrase! Qu'on le mange!... Tout de suite!...
Tout de suite!...

TYLTYL, à la Chatte.

Qu'ont-ils donc?... Ils ne sont pas contents?...

LA CHATTE

Ne vous inquiétez pas... Ils sont un peu
fâchés à cause que le Printemps est en retard...
Laissez-moi faire, j'arrangerai tout ça...

LE CHÊNE

Cette unanimité était inévitable... Il s'agit
à présent de savoir, pour éviter les représailles,
quel genre de supplice sera le plus pratique, le
plus commode, le plus expéditif et le plus sûr;
celui qui laissera le moins de traces accusa-
trices lorsque les Hommes retrouveront les
petits corps dans la forêt...

TYLTYL

Qu'est-ce que c'est que tout ça?... Où veut-il en venir?... Je commence à en avoir assez... Puisqu'il a l'Oiseau-Bleu, qu'il le donne...

LE TAUREAU, s'avançant.

Le plus pratique et le plus sûr, c'est un bon coup de corne au creux de l'estomac. — Voulez-vous que je fonce?...

LE CHÊNE

Qui parle ainsi?...

LA CHATTE

C'est le Taureau.

LA VACHE

Il ferait mieux de se tenir tranquille... Moi, je ne m'en mêle pas... J'ai à brouter toute l'herbe de la prairie qu'on voit là-bas, dans le bleu de la lune... J'ai trop à faire...

LE BŒUF

Moi aussi. D'ailleurs, j'approuve tout d'avance...

11.

LE HÊTRE

Moi, j'offre ma plus haute branche pour les pendre...

LE LIERRE

Et moi le nœud coulant...

LE SAPIN

Et moi les quatre planches pour la petite boîte...

LE CYPRÈS

Et moi la concession à perpétuité...

LE SAULE

Le plus simple serait de les noyer dans une de mes rivières... Je m'en charge...

LE TILLEUL, conciliant.

Voyons, voyons... Est-il bien nécessaire d'en venir à ces extrémités? Ils sont encore bien jeunes... On pourrait tout bonnement les empêcher de nuire en les retenant prisonniers dans un clos que je me charge de construire en me plantant tout autour...

LE CHÊNE

Qui parle ainsi?... Je crois reconnaître la voix mielleuse du Tilleul...

LE SAPIN

En effet...

LE CHÊNE

Il y a donc un renégat parmi nous, comme parmi les Animaux?... Jusqu'ici, nous n'avions à déplorer que la défection des Arbres fruitiers; mais ceux-ci ne sont pas de véritables Arbres..

LE PORC, roulant de petits yeux gloutons.

Moi, je pense qu'il faut d'abord manger la petite fille... Elle doit être bien tendre...

TYLTYL

Que dit-il celui-là?... Attends un peu, espèce de...

LA CHATTE

Je ne sais ce qu'ils ont; mais cela prend mauvaise tournure...

LE CHÊNE

Silence!... Il s'agit de savoir qui de nous aura l'honneur de porter le premier coup; qui écartera de nos cimes le plus grand danger que nous ayons couru depuis la naissance de l'Homme...

LE SAPIN

C'est à vous, notre roi et notre patriarche, que revient cet honneur...

LE CHÊNE

C'est le Sapin qui parle?... Hélas! je suis trop vieux! Je suis aveugle, infirme, et mes bras engourdis ne m'obéissent plus... Non, c'est à vous, mon frère, toujours vert, toujours droit, c'est à vous, qui vîtes naître la plupart de ces Arbres, qu'échoit, à mon défaut, la gloire du noble geste de notre délivrance...

LE SAPIN

Je vous remercie, mon vénérable père...
Mais comme j'aurai déjà l'honneur d'ensevelir
les deux victimes, je craindrais d'éveiller la
juste jalousie de mes collègues; et je crois
qu'après nous, le plus ancien et le plus digne,
celui qui possède la meilleure massue, c'est le
Hêtre...

LE HÊTRE

Vous savez que je suis vermoulu et que ma
massue n'est point sûre... Mais l'Orme et le
Cyprès ont de puissantes armes...

L'ORME

Je ne demanderais pas mieux; mais je puis à
peine me tenir debout... Une taupe cette nuit,
m'a retourné le gros orteil...

LE CYPRÈS

Quant à moi, je suis prêt... Mais, comme mon
bon frère le Sapin, j'aurai déjà, sinon le privi-
lège de les ensevelir, tout au moins l'avantage
de pleurer sur leur tombe... Ce serait illégiti-
mement cumuler... Demandez au Peuplier...

LE PEUPLIER

A moi?... Y pensez-vous?... Mais mon bois
est plus tendre que la chair d'un enfant!... Et
puis, je ne sais ce que j'ai... Je tremble de
fièvre... Regardez donc mes feuilles... J'ai dû
prendre froid ce matin au lever du soleil...

LE CHÊNE, éclatant d'indignation.

Vous avez peur de l'Homme!... Même ces
petits enfants isolés et sans armes vous inspirent
la terreur mystérieuse qui fit toujours de nous
les esclaves que nous sommes!... Eh bien, non!
C'est assez!... Puisqu'il en est ainsi, puisque
l'heure est unique, j'irai seul, vieux, perclus,
tremblant, aveugle, contre l'ennemi hérédi-
taire!... Où est-il?...

Tâtonnant de son bâton, il s'avance vers Tyltyl.

TYLTYL, tirant son couteau de sa poche.

C'est à moi qu'il en a, ce vieux-là, avec son
gros bâton?...

Tous les autres Arbres, poussant un cri d'épouvante à la
vue du couteau, l'arme mystérieuse et irrésistible de
l'Homme, s'interposent et retiennent le Chêne.

LES ARBRES

Le couteau!... Prenez garde!... Le couteau!...

LE CHÊNE, se débattant.

Laissez-moi!... Que m'importe!... Le couteau
ou la hache!... Qui me retient?... Quoi! vous êtes
tous ici?... Quoi! vous tous vous voulez?...
(Jetant son bâton.) Eh bien, soit!... Honte à nous!...
Que les Animaux nous délivrent!...

LE TAUREAU

C'est cela!... Je m'en charge!... Et d'un seul
coup de corne!...

LE BŒUF et LA VACHE, le retenant par la queue.

De quoi te mêles-tu?...Ne fais pas de bêtises!...
C'est une mauvaise affaire!... Cela finira mal...
C'est nous qui trinquerons... Laisse donc...
C'est affaire aux Animaux sauvages...

LE TAUREAU

Non, non!... C'est mon affaire!... Attendez!...
Mais retenez-moi donc ou je fais un malheur!...

TYLTYL, à Mytyl qui pousse des cris aigus.

N'aie pas peur!... Mets-toi derrière moi... J'ai mon couteau...

LE COQ

C'est qu'il est crâne, le petit!...

TYLTYL

Alors, c'est décidé, c'est à moi qu'on en veut?...

L'ANE

Mais bien sûr, mon petit, tu y a mis le temps, à t'en apercevoir!...

LE PORC

Tu peux faire ta prière, va, c'est ta dernière heure. Mais ne cache pas la petite fille... Je veux m'en régaler les yeux... C'est elle que je mangerai la première...

TYLTYL

Qu'est-ce que je vous ai fait?...

LE MOUTON

Rien du tout, mon petit... Mangé mon petit frère, mes deux sœurs, mes trois oncles, ma tante, bon-papa, bonne-maman... Attends, attends, quand tu seras par terre, tu verras que j'ai des dents aussi...

L'ANE

Et que j'ai des sabots!...

LE CHEVAL, piaffant fièrement.

Vous allez voir ce que vous allez voir!... Aimez-vous mieux que je le déchire à belles dents ou que je vous l'abatte à coups de pied?... (Il s'avance magnifiquement sur Tyltyl qui lui fait face en levant son couteau. Tout à coup, le Cheval, pris de panique, tourne le dos et fuit à toutes jambes.) Ah! mais non!... Ce n'est pas juste!... Ce n'est pas de jeu!... Il se défend!...

LE COQ, ne pouvant cacher son admiration.

C'est égal, le petit n'a pas froid aux yeux!...

LE PORC, à l'Ours et au Loup.

Précipitons-nous tous ensemble... Je vous

12

soutiendrai par derrière... Nous les renverserons et nous nous partagerons la petite fille quand elle sera par terre...

LE LOUP

Amusez-les par là... Je vais faire un mouvement tournant...

> Il tourne Tyltyl qu'il attaque par derrière et renverse à demi.

TYLTYL

Judas!... (Il se redresse sur un genou, brandissant son couteau et couvrant de son mieux sa petite sœur qui pousse des hurlements de détresse. — Le voyant à demi renversé, tous les Animaux et les Arbres se rapprochent et cherchent à lui porter des coups. L'obscurité se fait subitement. Éperdument, Tyltyl appelle à l'aide.) A moi! A moi!... Tylô! Tylô!... Où est la Chatte?... Tylô!... Tylette! Tylette!... Venez! venez!...

LA CHATTE, hypocritement, à l'écart.

Je ne peux pas... Je viens de me fouler la patte...

TYLTYL, parant les coups et se défendant de son mieux.

A moi!... Tylô! Tylô!... Je ne peux plus!... Ils

sont trop!... L'Ours! le Cochon! le Loup!
l'Ane! le Sapin! le Hêtre!... Tylô! Tylô! Tylô!...

Traînant ses liens brisés, le Chien bondit de derrière le
tronc du Chêne et, bousculant Arbres et Animaux, se
jette devant Tyltyl qu'il défend avec rage.

LE CHIEN, tout en distribuant d'énormes coups de dents.

Voilà! voilà! mon petit dieu!... N'aie pas
peur! Allons-y!... J'ai de bons coups de gueule!...
Tiens, voilà pour toi, l'Ours, là dans ton gros
derrière!... Voyons, qui en veut encore?... Voilà
pour le Cochon, et ça pour le Cheval et la queue
du Taureau! Voilà! j'ai déchiré la culotte du
Hêtre et le jupon du Chêne!... Le Sapin f...
le camp!... C'est égal, il fait chaud!...

TYLTYL, accablé.

Je n'en peux plus!... Le Cyprès m'a donné
un grand coup sur la tête...

LE CHIEN

Aïe! c'est un coup du Saule!... Il m'a cassé la
patte!...

TYLTYL

Ils reviennent à la charge! Tous ensemble!...
Cette fois, c'est le Loup!...

LE CHIEN

Attends, que je l'étrenne!...

LE LOUP

Imbécile!... Notre frère!... Ses parents ont noyé tes petits!...

LE CHIEN

Ils ont bien fait!... Tant mieux!... C'est qu'ils te ressemblaient!...

TOUS LES ARBRES et TOUS LES ANIMAUX

Renégat!... Idiot!... Traître! Félon! Nigaud!... Judas!... Laisse-le! C'est la mort! Viens à nous!

LE CHIEN, ivre d'ardeur et de dévouement.

Non! non!... Seul contre tous!... Non, non!... Fidèle aux dieux! aux meilleurs! aux plus grands!... (A Tyltyl.) Prends garde, voici l'Ours!... Méfie-toi du Taureau... Je vais lui sauter à la gorge... Aïe!... C'est un coup de pied... L'Ane m'a cassé deux dents...

TYLTYL

Je ne peux plus, Tylô!... Aïe!... C'est un coup de l'Orme... Regarde, ma main saigne... C'est le Loup ou le Porc...

LE CHIEN

Attends, mon petit dieu... Laisse-moi t'embrasser. Là, un bon coup de langue... Ça te fera du bien... Reste bien derrière moi... Ils n'osent plus approcher... Si!... Les voilà qui reviennent!... Ah! ce coup, c'est sérieux!... Tenons ferme!...

TYLTYL, se laissant tomber sur le sol.

Non, ce n'est plus possible...

LE CHIEN

On vient!... J'entends, je flaire!...

TYLTYL

Où donc?... Qui donc?...

LE CHIEN

Là! là!... C'est la Lumière!... Elle nous a

12.

retrouvés!... Sauvés, mon petit roi!... Embrasse-moi!... Sauvés!... regarde!... Ils se méfient!... Ils s'écartent!... Ils ont peur!...

TYLTYL

La Lumière!... La Lumière!... Venez donc!... Hâtez-vous!... Ils se sont révoltés!... Ils sont tous contre nous!...

> Entre la Lumière; à mesure qu'elle s'avance, l'Aurore se lève sur la forêt qui s'éclaire.

LA LUMIÈRE

Qu'est-ce donc?... Qu'y a-t-il?... Mais, malheureux! tu ne savais donc pas!... Tourne le Diamant! Ils rentreront dans le Silence et dans l'Obscurité; et tu ne verras plus leurs sentiments...

> Tyltyl tourne le Diamant. — Aussitôt les âmes de tous les Arbres se précipitent dans les troncs qui se referment. — Les âmes des Animaux disparaissent également; et l'on voit, au loin, brouter une Vache et un Mouton paisibles, etc. — La Forêt redevient innocente. Étonné, Tyltyl regarde autour de soi.

TYLTYL

Où sont-ils?... Qu'avaient-ils?... Est-ce qu'ils aient fous?...

LA LUMIÈRE

Mais non, ils sont toujours ainsi; mais on ne le sait pas parce qu'on ne le voit pas... Je te l'avais bien dit : il est dangereux de les réveiller quand je ne suis pas là...

TYLTYL, essuyant son couteau.

C'est égal; sans le Chien et si je n'avais pas eu mon couteau... Je n'aurais jamais cru qu'ils fussent si méchants!...

LA LUMIÈRE

Tu vois bien que l'Homme est tout seul contre tous, en ce monde...

LE CHIEN

Tu n'as pas trop de mal, mon petit dieu?...

TYLTYL

Rien de grave... Quant à Mytyl, ils ne l'ont pas touchée... Mais toi, mon bon Tylô?... Tu as la bouche en sang, et ta patte est cassée?...

LE CHIEN

Pas la peine d'en parler... Demain, il n'y paraîtra plus... Mais l'affaire était chaude!...

LA CHATTE, sortant d'un fourré en boîtant.

Je crois bien!... Le Bœuf m'a donné un coup de corne dans le ventre... On n'en voit pas la trace, mais il me fait bien mal... Et le Chêne m'a cassé la patte...

LE CHIEN

J'aimerais bien savoir laquelle...

MYTYL, caressant la Chatte.

Ma pauvre Tylette, est-ce vrai?... Où donc te trouvais-tu?... Je ne t'ai pas aperçue...

LA CHATTE, hypocritement.

Petite mère, j'ai été blessée tout de suite, en attaquant le vilain Porc qui voulait te manger... C'est alors que le Chêne m'a donné ce grand coup qui m'a étourdie...

LE CHIEN, à la Chatte, entre les dents.

Toi, tu sais, j'ai deux mots à te dire... Tu ne perdras rien pour attendre!...

LA CHATTE, plaintivement, à Mytyl.

Petite mère, il m'insulte... Il veut me faire du mal...

MYTYL, au Chien.

Veux-tu bien la laisser tranquille, vilaine bête...

Ils sortent tous.

RIDEAU

ACTE QUATRIÈME

SIXIÈME TABLEAU

DEVANT LE RIDEAU

Entrent Tyltyl, Mytyl, la Lumière, le Chien, le Chat,
le Pain, le Feu, le Sucre, l'Eau et le Lait.

LA LUMIÈRE

J'ai reçu un petit mot de la Fée Bérylune qui
m'apprend que l'Oiseau-Bleu se trouve probablement ici...

TYLTYL

Où ça?...

LA LUMIÈRE

Ici, dans le cimetière qui est derrière ce mur...
Il paraît qu'un des morts de ce cimetière le

cache dans la tombe... Reste à savoir lequel... Il
faudra qu'on les passe en revue...

TYLTYL

En revue?... Comment qu'on fera?...

LA LUMIÈRE

C'est bien simple : à minuit, pour ne pas trop
les déranger, tu tourneras le Diamant. On les
verra sortir de terre; ou bien on apercevra au
fond de leurs tombes ceux qui ne sortent pas...

TYLTYL

Ils ne seront pas fâchés?...

LA LUMIÈRE

Nullement, ils ne s'en douteront même pas...
Ils n'aiment pas qu'on les dérange; mais comme
de toutes façons ils ont coutume de sortir à minuit, cela ne les gênera pas...

TYLTYL

Pourquoi que le Pain, le Sucre et le Lait sont
si pâles et pourquoi qu'ils ne disent rien?...

LE LAIT, chancelant.

Je sens que je vais tourner...

LA LUMIÈRE, bas, à Tyltyl.

Ne fais pas attention... Ils ont peur des morts..

LE FEU, gambadant.

Moi, je n'en ai pas peur!... J'ai l'habitude de les brûler... Dans les temps, je les brûlais tous; c'était bien plus amusant qu'aujourd'hui...

TYLTYL

Et pourquoi Tylô tremble-t-il?... Est-ce qu'il a peur aussi?.

LE CHIEN, claquant des dents.

Moi?... Je ne tremble pas!... Moi, je n'ai jamais peur; mais si tu t'en allais, je m'en irais aussi..

TYLTYL

Et la Chatte ne dit rien?...

LA CHATTE, mystérieuse

Je sais ce que c'est...

TYLTYL, à la Lumière.

Tu viendras avec nous?...

LA LUMIÈRE

Non, il est préférable que je reste à la porte du cimetière avec les Choses et les Animaux... L'heure n'est pas venue... La Lumière ne peut pas encore pénétrer chez les morts... Je vais te laisser seul avec Mytyl...

TYLTYL

Et Tylô ne peut pas rester avec nous?...

LE CHIEN

Si, si, je reste, je reste ici... Je veux rester près de mon petit dieu!...

LA LUMIÈRE

C'est impossible... L'ordre de la Fée est formel; du reste, il n'y a rien à craindre...

LE CHIEN

Bien, bien, tant pis... S'ils sont méchants, mon petit dieu, tu n'as qu'à faire comme ça (Il siffle.) et tu verras... Ce sera comme dans la forêt : Wa! Wa! Wa!...

LA LUMIÈRE

Allons, adieu, mes chers petits... Je ne serai pas loin... (Elle embrasse les enfants.) Ceux qui m'aiment et que j'aime me retrouvent toujours... Aux Choses et aux Animaux.) Vous autres... par ici.

> Elle sort avec les Choses et les Animaux. Les enfants restent seuls au milieu de la scène. Le rideau s'ouvre pour découvrir le septième tableau.

SEPTIÈME TABLEAU

LE CIMETIÈRE

Il fait nuit. Clair de lune. Un cimetière de campagne. Nombreuses tombes, tertres de gazon, croix de bois, dalles funéraires, etc.

———

Tyltyl et Mytyl sont debout près d'un cippe.

MYTYL

J'ai peur!

TYLTYL, assez peu rassuré.

Moi, je n'ai jamais peur...

MYTYL

C'est méchant, les morts, dis?...

TYLTYL

Mais non, puisqu'ils ne vivent pas.

MYTYL

Tu en as déjà vu?...

TYLTYL

Oui, une fois, dans le temps, lorsque j'étais
très jeune...

MYTYL

Comment c'est fait, dis?...

TYLTYL

C'est tout blanc, très tranquille et très froid,
et ça ne parle pas..

MYTYL

Nous allons les voir, dis?...

TYLTYL

Bien sûr, puisque la Lumière l'a promis...

13.

MYTYL

Où c'est qu'ils sont, les morts?...

TYLTYL

Ici, sous le gazon ou sous ces grosses pierres...

MYTYL

Ils sont là toute l'année?...

TYLTYL

Oui.

MYTYL, montrant les dalles.

C'est les portes de leurs maisons?...

TYLTYL

Oui,

MYTYL

Est-ce qu'ils sortent quand il fait beau?...

TYLTYL

Ils ne peuvent sortir qu'à la nuit...

MYTYL

Pourquoi?...

TYLTYL

Parce qu'ils sont en chemise...

MYTYL

Est-ce qu'ils sortent aussi quand il pleut?...

TYLTYL

Quand il pleut, ils restent chez eux...

MYTYL

C'est beau chez eux, dis?...

TYLTYL

On dit que c'est fort étroit...

MYTYL

Est-ce qu'ils ont des petits enfants?...

TYLTYL

Bien sûr; ils ont tous ceux qui meurent...

MYTYL

Et de quoi vivent-ils?..

TYLTYL

Ils mangent des racines...

MYTYL

Est-ce que nous les verrons?...

TYLTYL

Bien sûr, puisqu'on voit tout quand le Diamant est tourné.

MYTYL

Et qu'est-ce qu'ils diront?...

TYLTYL

Ils ne diront rien, puisqu'ils ne parlent pas..

MYTYL

Pourquoi qu'ils ne parlent pas?...

TYLTYL

Parce qu'ils n'ont rien à dire...

MYTYL

Pourquoi qu'ils n'ont rien à dire?...

TYLTYL

Tu m'embêtes...

Un silence.

MYTYL

Quand tourneras-tu le Diamant?...

TYLTYL

Tu sais bien que la Lumière a dit d'attendre
à minuit, parce qu'alors on les dérange moins...

MYTYL

Pourquoi qu'on les dérange moins?...

TYLTYL

Parce que c'est l'heure où ils sortent prendre
l'air.

MYTYL

Il n'est pas minuit?...

TYLTYL

Vois-tu le cadran de l'église?...

MYTYL

Oui, je vois même la petite aiguille...

TYLTYL

Et bien! minuit va sonner... Là!...Tout juste...
Entends-tu?...

On entend sonner les douze coups de m nuit.

MYTYL

Je veux m'en aller!...

TYLTYL

Ce n'est pas le moment... Je vais tourner le
Diamant...

MYTYL

Non, non!... Ne le fais pas!... Je veux m'en
aller!... J'ai si peur, petit frère!... J'ai terrible-
ment peur!...

TYLTYL

Mais il n'y a pas de danger...

MYTYL

Je ne veux pas voir les morts!... Je ne veux pas les voir!...

TYLTYL

C'est bon, tu ne les verras pas, tu fermeras les yeux...

MYTYL, s'accrochant aux vêtements de Tyltyl.

Tyltyl, je ne peux pas!... Non, ce n'est pas possible!... Ils vont sortir de terre!...

TYLTYL

Ne tremble pas ainsi... Ils ne sortiront qu'un moment...

MYTYL

Mais tu trembles aussi, toi!... Ils seront effrayants!...

TYLTYL

Il est temps, l'heure passe...

Tyltyl tourne le Diamant. Une terrifiante minute de silence et d'immobilité; après quoi, lentement, les croix
chancellent, les tertres s'entr'ouvrent, les dalles se soulèvent

MYTYL, se blottissant contre Tyltyl.

Ils sortent!... Ils sont là!...

Alors, de toutes les tombes béantes monte graduellement
une floraison d'abord grêle et timide comme une vapeur d'eau, puis blanche et virginale et de plus en plus
touffue, de plus en plus haute, surabondante et mer-
veilleuse, qui peu à peu, irrésistiblement, envahissant
toutes choses, transforme le cimetière en une sorte de
jardin féerique et nuptial, sur lequel ne tardent pas à
se lever les premiers rayons de l'aube. La rosée scin-
tille, les fleurs s'épanouissent, le vent murmure dans
les feuilles, les abeilles bourdonnent, les oiseaux
s'éveillent et inondent l'espace des premières ivresses
de leurs hymnes au soleil et à la vie. Stupéfaits, éblouis,
Tyltyl et Mytyl, se tenant par la main, font quelques
pas parmi les fleurs en cherchant la trace des tombes.

MYTYL, cherchant dans le gazon

Où sont-ils, les morts?...

TYLTYL, cherchant de même.

Il n'y a pas de morts...

RIDEAU

HUITIÈME TABLEAU

DEVANT LE RIDEAU QUI REPRÉSENTE DE BEAUX NUAGES

Entrent : Tyltyl, Mytyl, la Lumière, le Chien, la Chatte,
le Pain, le Feu, le Sucre, l'Eau et le Lait.

LA LUMIÈRE

Je crois que cette fois nous tenons l'Oiseau-
Bleu. J'aurais dû y penser dès la première
étape... Ce n'est que ce matin, en reprenant
mes forces dans l'aurore, que l'idée m'est venue comme un rayon du ciel... Nous sommes à
l'entrée des jardins enchantés où se trouvent
réunis sous la garde du Destin, toutes les Joies,
tous les Bonheurs des Hommes...

14

TYLTYL

Il y en a beaucoup? Est-ce qu'on en aura?
Est-ce qu'ils sont petits?...

LA LUMIÈRE

Il en est de petits et de grands, de gros et
de délicats, de très beaux et d'autres qui sont
moins agréables... Mais les plus vilains furent,
il y a quelque temps, expulsés des jardins et
cherchèrent refuge chez les Malheurs. Car il
faut remarquer que les Malheurs habitent un
antre contigu, qui communique avec le jardin
des Bonheurs et n'en est séparé que par une
sorte de vapeur ou de rideau subtil que le vent
qui souffle des hauteurs de la Justice ou du
fond de l'Éternité soulève à chaque instant...
Maintenant, il s'agit de s'organiser et de
prendre certaines précautions. En général, les
Bonheurs sont fort bons, pourtant il en est
quelques-uns qui sont plus dangereux et plus
perfides que les plus grands Malheurs...

LE PAIN

J'ai une idée! S'ils sont dangereux et per-

fides, ne serait-il pas préférable que nous at-
tendissions tous à la porte, afin d'être à même
de prêter main-forte aux enfants s'ils étaient
obligés de fuir?...

LE CHIEN

Pas du tout! pas du tout!... Je veux aller
partout avec mes petits dieux!... Que tous
ceux qui ont peur restent donc à la porte!...
Nous n'avons pas besoin (Regardant le Pain.) de
poltrons, (Regardant la Chatte.) ni de traîtres...

LE FEU

Moi, j'y vais!...Il paraît que c'est amusant!...
On y danse tout le temps...

LE PAIN

Est-ce qu'on y mange aussi?...

L'EAU, gémissant.

Je n'ai jamais connu le plus petit Bonheur!...
Je veux en voir enfin!...

LA LUMIÈRE

Taisez-vous! Personne ne demande vos avis...
Voici ce que j'ai décidé : le Chien, le Pain et le
Sucre accompagneront les enfants. L'Eau n'en-
trera pas, parce qu'elle est trop froide, ni le
Feu qui est trop turbulent. J'engage vivement
le Lait à rester à la porte, parce qu'il est trop
impressionnable; quant à la Chatte, elle fera
comme elle voudra...

LE CHIEN

Elle a peur!...

LA CHATTE

J'irai saluer en passant quelques Malheurs
qui sont de vieux amis et habitent à côté des
Bonheurs...

TYLTYL

Et toi, la Lumière, est-ce que tu ne viens
pas?...

LA LUMIÈRE

Je ne peux pas entrer ainsi chez les Bonheurs;
la plupart ne me supportent pas... Mais j'ai

ici le voile épais dont je me couvre quand je visite les gens heureux... (Elle déplie un long voile dont elle s'enveloppe soigneusement.) Il ne faut pas qu'un rayon de mon âme les effraye, car il est beaucoup de Bonheurs qui ont peur et ne sont pas heureux... Voilà, de cette façon, les moins jolis et es plus gros eux-mêmes n'auront plus rien à redouter...

Le rideau s'ouvre pour découvrir le neuvième tableau.

NEUVIÈME TABLEAU

LES JARDINS DES BONHEURS

Quand s'ouvre le rideau, on découvre, prise sur les
premiers plans des jardins, une sorte de salle formée de
hautes colonnes de marbre entre lesquelles, masquant
tout le fond, sont tendues de lourdes draperies de pourpre
que soutiennent des cordages d'or. Architecture rappelant les moments les plus sensuels et les plus somptueux de la Renaissance vénitienne ou flamande (Véro-
nèse et Rubens). Guirlandes, cornes d'abondance, tor-
sades, vases, statues, dorures prodigués de toutes parts.
— Au milieu, massive et féerique table de jaspe et de
vermeil, encombrée de flambeaux, de cristaux, de vais-
selle d'or et d'argent et surchargée de mets fabuleux. —
Autour de la table, mangent, boivent, hurlent, chantent,
s'agitent, se vautrent ou s'endorment parmi les venai-
sons, les fruits miraculeux, les aiguières et les amphores
renversées, les plus gros Bonheurs de la terre. Ils sont
énormes, invraisemblablement obèses et rubiconds,
couverts de velours et de brocarts, couronnés d'or, de
perles et de pierreries. De belles esclaves apportent
sans cesse des plats empanachés et des breuvages écu-

mants. — Musique vulgaire, hilare et brutale où dominent les cuivres. — Une lumière lourde et rouge baigne
la scène.

Tyltyl, Mytyl, le Chien, le Pain et le Sucre, d'abord assez
  intimidés, se pressent, à droite, au premier plan, autour de
  la Lumière. La Chatte, sans rien dire, se dirige vers le fond,
  également à droite, soulève un rideau sombre et disparaît.

TYLTYL

Qu'est-ce que ces gros messieurs qui s'amu-
sent et mangent tant de bonnes choses?

LA LUMIÈRE

Ce sont les plus gros Bonheurs de la Terre,
ceux qu'on peut voir à l'œil nu. Il est possible,
bien qu'assez peu probable, que l'Oiseau-Bleu
se soit un instant égaré parmi eux. C'est pourquoi ne tourne pas encore le Diamant. Nous
allons, pour la forme, explorer tout d'abord
cette partie de la salle.

TYLTYL

Est-ce qu'on peut s'approcher?

LA LUMIÈRE

Certainement. Ils ne sont pas méchants, bien que vulgaires et, d'habitude, assez mal élevés.

MYTYL

Qu'ils ont de beaux gâteaux!...

LE CHIEN

Et du gibier! et des saucisses! et des gigots d'agneau et du foie de veau!... (Proclamant.) Rien au monde n'est meilleur, rien n'est plus beau et rien ne vaut le foie de veau!...

LE PAIN

Excepté les Pains-de-quatre-livres pétris de fine fleur de froment! Ils en ont d'admirables!... Qu'ils sont beaux! qu'ils sont beaux!... Ils sont plus gros que moi!...

LE SUCRE

Pardon, pardon, mille pardons... Permettez, permettez... Je ne voudrais froisser personne; mais n'oubliez-vous pas les Sucreries qui sont

la gloire de cette table et dont l'éclat et la magnificence surpassent, si j'ose m'exprimer ainsi,
tout ce qu'il y a dans cette salle et peut-être
en tout autre lieu...

TYLTYL

Qu'ils ont l'air contents et heureux!... Et ils
crient! et ils rient! et ils chantent!... Je crois
qu'ils nous ont vus...

> En effet, une douzaine des plus Gros Bonheurs se sont
> levés de table et s'avancent péniblement, en soute-
> nant leur ventre, vers le groupe des enfants.

LA LUMIÈRE

Ne crains rien, ils sont très accueillants... Ils
vont probablement t'inviter à dîner... N'accepte
pas, n'accepte rien, de peur d'oublier ta mission...

TYLTYL

Quoi? Pas même un petit gâteau? Ils ont l'air
si bons, si frais, si bien glacés de sucre, ornés
de fruits confits et débordants de crème!...

LA LUMIÈRE

Ils sont dangereux et briseraient ta volonté.

Il faut savoir sacrifier quelque chose au devoir
qu'on remplit. Refuse poliment mais avec fer-
meté. Les voici...

LE PLUS GROS DES BONHEURS, tendant la main à Tyltyl.

Bonjour, Tyltyl!...

TYLTYL, étonné.

Vous me connaissez donc?... Qui êtes-vous?...

LE GROS BONHEUR

Je suis le plus gros des Bonheurs, le Bonheur-
d'être-riche, et je viens, au nom de mes frères,
vous prier, vous et votre famille, d'honorer
de votre présence notre repas sans fin. Vous
vous trouverez au milieu de tout ce qu'il y a
de mieux parmi les vrais et gros Bonheurs de
de cette Terre. Permettez que je vous présente
les principaux d'entre eux. Voici mon gendre,
le Bonheur-d'être-propriétaire, qui a le ventre en
poire. Voici le Bonheur-de-la-vanité-satisfaite,
dont le visage est si gracieusement bouffi.
(Le Bonheur-de-la-vanité-satisfaite salue d'un air protecteur.)
Voici le Bonheur-de-boire-quand-on-n'a-plus-
soif et le Bonheur-de-manger-quand-on-n'a-

plus-faim, qui sont jumeaux et ont les jambes en macaroni. (Ils saluent en chancelant.) Voici le Bonheur-de-ne-rien-savoir, qui est sourd comme une limande, et le Bonheur-de-ne-rien-comprendre, qui est aveugle comme une taupe. Voici le Bonheur-de-ne-rien-faire et le Bonheur-de-dormir-plus-qu'il-n'est-nécessaire, qui ont les mains en mie de pain et les yeux en gelée de pêche. Voici enfin le Rire-Épais qui est fendu jusqu'aux oreilles et auquel rien ne peut résister...

Le Rire-Épais salue en se tordant.

TYLTYL, montrant du doigt un Gros Bonheur qui se tient un peu à l'écart.

Et celui-là, qui n'ose pas approcher et nous tourne le dos?...

LE GROS BONHEUR

N'insistez pas, il est un peu gêné et n'est pas présentable à des enfants... (Saisissant les mains de Tyltyl.) Mais venez donc! On recommence le festin... C'est la douzième fois depuis l'aurore. On n'attend plus que vous... Entendez-vous tous les convives qui vous réclament à grands

cris?... Je ne puis vous les présenter tous, ils
sont extrêmement nombreux... (Offrant le bras aux
deux enfants.) Permettez que je vous conduise aux
deux places d'honneur...

TYLTYL

Je vous remercie bien, monsieur le Gros
Bonheur... Je regrette vivement... Je ne peux
pas pour le moment... Nous sommes très pressés,
nous cherchons l'Oiseau-Bleu. Vous ne sauriez
pas, par hasard, où il se cache?

LE GROS BONHEUR

L'Oiseau-Bleu?... Attendez donc... Oui, oui,
je me rappelle... On m'en a parlé dans le temps...
C'est, je crois, un oiseau qui n'est pas comes-
tible... En tout cas, il n'a jamais paru sur notre
table... C'est vous dire qu'on le tient en médiocre
estime... Mais ne vous mettez pas en peine;
nous avons tant d'autres choses bien meilleures... Vous allez vous mêler à notre vie, vous
verrez tout ce que nous faisons...

TYLTYL

Que faites-vous?

LE GROS BONHEUR

Mais nous nous occupons sans cesse à ne rien faire... Nous n'avons pas une minute de repos... Il faut boire, il faut manger, il faut dormir. C'est extrêmement absorbant...

TYLTYL

Est-ce que c'est amusant?

LE GROS BONHEUR

Mais oui... Il le faut bien, il n'y a pas autre chose sur cette Terre...

LA LUMIÈRE

Croyez-vous?...

LE GROS BONHEUR, indiquant du doigt
la Lumière, bas, à Tyltyl.

Quelle est cette jeune personne mal élevée?...

Durant toute la conversation précédente, une foule de Gros Bonheurs de second ordre s'est occupée du Chien, du Sucre et du Pain, et les a entraînés vers l'orgie. Tyltyl aperçoit soudain ces derniers qui, attablés fraternellement avec leurs hôtes, mangent, boivent et se trémoussent follement.

15

TYLTYL

Voyez donc, la Lumière!... Ils sont à table!...

LA LUMIÈRE

Rappelle-les! sinon cela finira mal!...

TYLTYL

Tylô!... Tylô! ici!... Veux-tu venir ici, tout de suite, entends-tu!... Et vous, là-bas, le Sucre et le Pain, qui donc vous a permis de me quitter?... Qu'est-ce que vous faites là, sans autorisation?...

LE PAIN, la bouche pleine.

Est-ce que tu ne pourrais pas nous parler plus poliment?...

TYLTYL

Quoi? C'est le Pain qui se permet de me tutoyer?... Mais qu'est-ce qui te prend?... Et toi, Tylô!... Est-ce ainsi qu'on obéit? Allons, viens ici, à genoux, à genoux!... Et plus vite que ça!...

LE CHIEN, à mi-voix et du bout de la table.

Moi, quand je mange, je n'y suis pour personne et je n'entends plus rien...

LE SUCRE, mielleusement.

Excusez-nous, nous ne saurions quitter ainsi, sans les froisser, d'aussi aimables hôtes...

LE GROS BONHEUR

Vous voyez!... Ils vous donnent l'exemple... Venez, on vous attend... Nous n'admettons pas de refus... On vous fera une douce violence... Allons, les Gros Bonheurs, aidez-moi!... Poussons-les de force vers la table, pour qu'ils soient heureux malgré eux!..

> Tous les Gros Bonheurs, avec des cris de joie et gambadant de leur mieux, entraînent les enfants qui se débattent, tandis que le Rire-Épais saisit vigoureusement la Lumière par la taille.

LA LUMIÈRE

Tourne le Diamant, il est temps!...

> Tyltyl fait ce qu'ordonne la Lumière. Aussitôt la scène s'illumine d'une clarté ineffablement pure, divinement

rosée, harmonieuse et légère. Les lourds ornements
du premier plan, les épaisses tentures rouges se dé-
tachent et disparaissent, dévoilant un fabuleux et doux
jardin de paix légère et de sérénité, une sorte de palais
de verdure aux perspectives harmonieuses, où la magnificence des feuillages, puissants et lumineux, exubérants
et néanmoins disciplinés, où l'ivresse virginale des fleurs
et la fraîche allégresse des eaux qui coulent, ruissellent
et jaillissent de toutes parts semblent entraîner jusqu'aux confins de l'horizon l'idée même de la félicité.
La table de l'orgie s'effondre sans laisser de traces; les
velours, les brocarts, les couronnes des Gros Bonheurs,
au souffle lumineux qui envahit la scène, se soulèvent,
se déchirent et tombent, en même temps que les masques
hilares, aux pieds des convives abasourdis. Ceux-ci se
dégonflent à vue d'œil, comme des vessies crevées,
s'entre-regardent, clignotent sous les rayons inconnus
qui les blessent, et, se voyant enfin tels qu'ils sont en
vérité, c'est-à-dire nus, hideux, flasques et lamentables,
se mettent à pousser des hurlements de honte et d'épouvante, parmi lesquels on distingue très nettement
ceux du Rire-Épais qui dominent tous les autres. Seul
le Bonheur-de-ne-rien-comprendre demeure parfaitement calme, tandis que ses collègues s'agitent éperdument, cherchent à fuir, à se cacher dans les coins
qu'ils espèrent plus sombres. Mais il n'y a plus d'ombre
dans le jardin éblouissant. Aussi la plupart se déci-
dent-ils à franchir, en désespoir de cause, le rideau
menaçant qui, sur la droite, dans un angle, ferme la
voûte de la caverne des Malheurs. A chaque fois que
l'un d'eux, dans la panique, soulève un pan de ce rideau, on entend s'élever du creux de l'antre une tem-
pête d'injures, d'imprécations et de malédictions.
Quant au Chien, au Pain et au Sucre, l'oreille basse,
ils rejoignent le groupe des enfants, et, très penauds,
se dissimulent derrière eux.

TYLTYL, regardant fuir les Gros Bonheurs.

Dieu qu'ils sont laids!... Où vont-ils?...

LA LUMIÈRE

Ma foi, je crois qu'ils ont perdu la tête... Ils vont se réfugier chez les Malheurs où je crains fort qu'on ne les retienne définitivement...

TYLTYL, regardant autour de soi, émerveillé.

Oh! le beau jardin, le beau jardin!... Où sommes-nous?...

LA LUMIÈRE

Nous n'avons pas changé de place; ce sont tes yeux qui ont changé de sphère... Nous voyons à présent la vérité des choses; et nous allons apercevoir l'âme des Bonheurs qui supportent la clarté du Diamant.

TYLTYL

Que c'est beau!... Qu'il fait beau!... On se croirait en plein été... Tiens! on dirait qu'on

15.

s'approche et qu'on va s'occuper de nous...

> En effet, les jardins commencent à se peupler de formes
> angéliques qui semblent sortir d'un long sommeil et
> glissent harmonieusement entre les arbres. Elles sont
> vêtues de robes lumineuses, aux subtiles et suaves
> nuances : réveil de rose, sourire d'eau, azur d'aurore,
> rosée d'ambre, etc...

LA LUMIÈRE

Voici que s'avancent quelques Bonheurs aimables et curieux qui vont nous renseigner...

TYLTYL

Tu les connais?...

LA LUMIÈRE

Oui, je les connais tous; je viens souvent chez
eux, sans qu'ils sachent qui je suis...

TYLTYL

Il y en a, il y en a!...Ils sortent de tous côtés!...

LA LUMIÈRE

Il y en avait beaucoup plus dans le temps.
Les Gros Bonheurs leur ont fait bien du tort.

TYLTYL

C'est égal, il en reste pas mal...

LA LUMIÈRE

Tu en verras bien d'autres, à mesure que l'influence du Diamant se répandra parmi les jardins... On trouve sur la Terre beaucoup plus de Bonheurs qu'on ne croit; mais la plupart des Hommes ne les découvrent point...

TYLTYL

En voici de petits qui s'avancent, courons à leur rencontre...

LA LUMIÈRE

C'est inutile; ceux qui nous intéressent passeront par ici. Nous n'avons pas le temps de faire la connaissance de tous les autres...

> Une bande de Petits Bonheurs, gambadant et riant aux éclats, accourt du fond des verdures et danse une ronde autour des enfants.

TYLTYL

Qu'ils sont jolis, jolis!... D'où viennent-ils, qui sont-ils?...

LA LUMIÈRE

Ce sont les Bonheurs des enfants...

TYLTYL

Est-ce qu'on peut leur parler?...

LA LUMIÈRE

C'est inutile. Ils chantent, ils dansent, ils rient, mais ils ne parlent pas encore...

TYLTYL, frétillant.

Bonjour! Bonjour!... Oh! le gros, là, qui rit!... Qu'ils ont de belles joues, qu'ils ont de belles robes!... Ils sont tous riches ici?...

LA LUMIÈRE

Mais non, ici comme partout, il y a bien plus de pauvres que de riches...

TYLTYL

Où sont les pauvres?...

LA LUMIÈRE

On ne peut pas les distinguer... Le Bonheur

d'un enfant est toujours revêtu de ce qu'il y a
de plus beau sur terre et dans les cieux.

TYLTYL, ne tenant plus en place.

Je voudrais danser avec eux...

LA LUMIÈRE

C'est absolument impossible, nous n'avons
pas le temps... Je vois qu'ils n'ont pas l'Oiseau-
Bleu... Du reste, ils sont pressés, tu vois, ils sont
déjà passés... Eux non plus n'ont pas de temps
à perdre, car l'enfance est très brève...

Une autre bande de Bonheurs, un peu plus grands que
les précédents, se précipite dans le jardin, et chantant à
tue-tête : « Les voilà ! les voilà ! Ils nous voient ! Ils
nous voient !... » danse autour des enfants une joyeuse
farandole, à la fin de laquelle, celui qui paraît être le
chef de la petite troupe s avance vers Tyltyl en lui
tendant la main.

LE BONHEUR

Bonjour, Tyltyl !...

TYLTYL

Encore un qui me connaît !... (A la Lumière.) On
commence à me connaitre un peu partout...
Qui es-tu ?...

LE BONHEUR

Tu ne me reconnais pas?... Je parie que tu ne
reconnais aucun de ceux qui sont ici?...

TYLTYL, assez embarrassé.

Mais non... Je ne sais pas... Je ne me rappelle
pas vous avoir vus...

LE BONHEUR

Vous entendez?... J'en étais sûr!... Il ne nous
a jamais vus!... (Tous les autres Bonheurs de la bande
éclatent de rire.) Mais, mon petit Tyltyl, tu ne
connais que nous!... Nous sommes toujours
autour de toi!... Nous mangeons, nous buvons,
nous nous éveillons, nous respirons, nous vivons
avec toi!...

TYLTYL

Oui, oui, parfaitement, je sais, je me rappelle... Mais je voudrais savoir comment on
vous appelle...

LE BONHEUR

Je vois bien que tu ne sais rien... Je suis le

chef des Bonheurs-de-ta-maison; et tous ceux-ci sont les autres Bonheurs qui l'habitent...

TYLTYL

Il y a donc des Bonheurs à la maison?...

Tous les Bonheurs éclatent de rire.

LE BONHEUR

Vous l'avez entendu!... S'il y a des Bonheurs dans ta maison!... Mais, petit malheureux, elle en est pleine à faire sauter les portes et les fenêtres!... Nous rions, nous chantons, nous créons de la joie à refouler les murs, à soulever les toits; mais nous avons beau faire, tu ne vois rien, tu n'entends rien... J'espère qu'à l'avenir tu seras un peu plus raisonnable... En attendant, tu vas serrer la main aux plus notables... Une fois rentré chez toi, tu les reconnaîtras ainsi plus facilement... Et puis, à la fin d'un beau jour, tu sauras les encourager d'un sourire, les remercier d'un mot aimable, car ils font vraiment tout ce qu'ils peuvent pour te rendre la vie légère et délicieuse... Moi d'abord, ton serviteur, le Bonheur-de-se-bien-porter... Je ne suis pas le plus joli, mais le plus sérieux. Tu me reconnaîtras?... Voici le Bonheur-de-l'air-pur, qui est à peu près transparent... Voici le Bonheur-d'aimer-ses-parents, qui est vêtu de gris et toujours un peu triste, parce qu'on ne le regarde jamais... Voici le Bonheur-du-ciel-bleu, qui est naturellement vêtu de bleu; et le Bonheur-de-la-forêt qui, non moins naturellement, est habillé de vert, et que tu reverras chaque fois que tu te mettras à la fenêtre... Voici encore le bon Bonheur-des-heures-de-soleil qui est couleur de diamant, et celui du Printemps qui est d'émeraude folle...

TYLTYL

Et vous êtes aussi beaux tous les jours?...

LE BONHEUR

Mais oui, c'est tous les jours dimanche, dans toutes les maisons, quand on ouvre les yeux... Et puis, quand vient le soir, voici le Bonheur-des-couchers-de-soleil, qui est plus beau que tous les rois du monde; et que suit le Bonheur-de-voir-se-lever-les-étoiles, doré comme un dieu d'autrefois... Puis, quand il fait mauvais, voici le Bonheur-de-la-pluie qui est couvert de perles, et le Bonheur-du-feu-d'hiver qui ouvre aux mains gelées son beau manteau de pourpre... Et je ne parle pas du meilleur de tous, parce qu'il est presque frère des grandes Joies limpides que vous verrez bientôt, et qui est le Bonheur-des-pensées-innocentes, le plus clair d'entre nous... Et puis, voici encore... Mais vraiment, ils sont trop!... Nous n'en finirions pas, et je dois prévenir d'abord les Grandes-Joies qui sont là-haut, au fond, près des portes du ciel, et ne savent pas encore que vous êtes arrivés... Je vais leur dépêcher le Bonheur-de-courir-nu-pieds-dans-la-rosée, qui est le plus agile... (Au Bonheur qu'il vient de nommer et qui s'avance en faisant des cabrioles.) Va!...

A ce moment, une sorte de diablotin en maillot noir, bousculant tout le monde en poussant des cris inarticulés, s'approche de Tyltyl, et gambade follement en l'accablant de nasardes, taloches et coups de pied insaisissables.

TYLTYL, ahuri et profondément indigné.

Qu'est-ce que c'est que ce sauvage?

LE BONHEUR

Bon! c'est encore le Plaisir-d'être-insuppor-

16

table qui s'est échappé de la caverne des Malheurs. On ne sait où l'enfermer. Il s'évade de partout, et les Malheurs eux-mêmes ne veulent plus le garder.

Le diablotin continue de lutiner Tyltyl qui essaye vainement de se défendre, puis, soudain, riant aux éclats, disparaît sans raison, comme il était venu.

TYLTYL

Qu'est-ce qu'il a? Il est un peu fou?

LA LUMIÈRE

Je ne sais. Il paraît que c'est ainsi que tu es toi-même lorsque tu n'es pas sage. Mais en attendant, il faudrait s'informer de l'Oiseau-Bleu. Il se peut que le chef des Bonheurs-de-ta-maison n'ignore pas où il se trouve...

TYLTYL

Où est-il?...

LE BONHEUR

Il ne sait pas où se trouve l'Oiseau-Bleu!...

Tous les Bonheurs-de-la-maison éclatent de rire.

TYLTYL, vexé.

Mais non, je ne sais pas... Il n'y a pas de quoi rire...

Nouveaux éclats de rires.

LE BONHEUR

Voyons, ne te fâche pas... et puis, soyons sérieux... Il ne sait pas, que voulez-vous, il n'est pas plus ridicule que la plupart des Hommes... Mais voici que le petit Bonheur-de-courir-nu-pieds-dans-la-rosée a prévenu les Grandes-Joies qui s'avancent vers nous.

En effet, les hautes et belles figures angéliques, vêtues de robes lumineuses, s'approchent lentement.

TYLTYI

Qu'elles sont belles !... Pourquoi ne rient-lles pas?... Ne sont-elles pas heureuses?...

LA LUMIÈRE

Ce n'est pas quand on rit qu'on est le plus heureux...

TYLTYL

Qui sont-elles?...

LE BONHEUR

Ce sont les Grandes-Joies...

TYLTYL

Tu sais leurs noms?...

LE BONHEUR

Naturellement, nous jouons souvent avec elles... Voici d'abord : devant les autres, la Grande-Joie-d'être-juste, qui sourit chaque fois qu'une injustice est réparée, — je suis trop jeune, je ne l'ai pas encore vu sourire. Derrière elle, c'est la Joie-d'être-bonne, qui est la plus heureuse, mais la plus triste; et qu'on a bien du mal à empêcher d'aller chez les Malheurs qu'elle voudrait consoler. A droite, c'est la Joie-du-travail-accompli à côté de la Joie-de-penser. Ensuite, c'est la Joie-de-comprendre qui cherche toujours son frère, le Bonheur-de-ne-rien-comprendre...

TYLTYL

Mais je l'ai vu, son frère!... Il est allé chez les Malheurs avec les Gros Bonheurs...

LE BONHEUR

J'en étais sûr!... Il a mal tourné, de mauvaises fréquentations l'ont entièrement perverti... Mais n'en parle pas à sa sœur. Elle voudrait aller le chercher et nous y perdrions une des plus belles joies... Voici encore, parmi les plus grandes, la Joie-de-voir-ce-qui-est-beau, qui ajoute chaque jour quelques rayons à la lumière qui règne ici...

TYLTYL

Et là, au loin, au loin, dans les nuages d'or, celle que j'ai peine à voir en me dressant tant que je peux sur la pointe des pieds?...

LE BONHEUR

C'est la grande Joie-d'aimer... Mais tu auras beau faire, tu es bien trop petit pour la voir tout entière...

16.

TYLTYL

Et là-bas, tout au fond, celles qui sont voilées et ne s'approchent pas?...

LE BONHEUR

Ce sont celles que les Hommes ne connaissent pas encore...

TYLTYL

Que nous veulent les autres?... Pourquoi s'écartent-elles?...

LE BONHEUR

C'est devant une Joie nouvelle qui s'avance, peut-être la plus pure que nous ayons ici..

TYLTYL

Qui est-ce?...

LE BONHEUR

Tu ne la reconnais pas encore?... Mais regarde donc mieux, ouvre donc tes deux yeux jusqu'au cœur de ton âme!... Elle t'a vu, elle

t'a vu!... Elle accourt en te tendant les bras!..
C'est la Joie de ta mère, c'est la Joie-sans-égale-
de-l'amour-maternel!...

> Après l'avoir acclamée, les autres Joies, accourues de
> toutes parts, s'écartent en silence devant la Joie-de-
> l'amour-maternel.

L'AMOUR MATERNEL

Tyltyl! Et puis Mytyl!... Comment, c'est
vous, c'est vous que je retrouve ici!... Je ne
m'attendais pas!... J'étais bien seule à la maison, et voici que tous deux vous montez jusqu'au ciel où rayonnent dans la Joie l'âme de
toutes les mères!... Mais d'abord des baisers,
des baisers tant qu'on peut!... Tous les deux
dans mes bras, il n'y a rien au monde qui donne
plus de bonheur!... Tyltyl, tu ne ris pas?...
Ni toi non plus, Mytyl?... Vous ne connaissez
pas l'amour de votre mère?... Mais regardez-
moi donc, et n'est-ce pas mes yeux, mes lèvres
et mes bras?...

TYLTYL

Mais si, je reconnais, mais je ne savais pas...
Tu ressembles à maman, mais tu es bien plus
belle...

L'AMOUR MATERNEL

Évidemment, moi, je ne vieillis plus... Et chaque jour qui passe m'apporte de la force, de la jeunesse et du bonheur... Chacun de tes sourires m'allège d'une année... A la maison, cela ne se voit pas, mais ici l'on voit tout, et c'est la vérité...

TYLTYL, émerveillé, la contemplant et l'embrassant tour à tour.

Et cette belle robe, en quoi donc qu'elle est faite?... Est-ce que c'est de la soie, de l'argent ou des perles?...

L'AMOUR MATERNEL

Non, ce sont des baisers, des regards, des caresses... chaque baiser qu'on donne y ajoute un rayon de lune ou de soleil...

TYLTYL

C'est drôle, je n'aurais jamais cru que tu étais si riche... Où donc la cachais-tu?... Était-elle dans l'armoire dont papa a la clef?...

L'AMOUR MATERNEL

Mais non, je l'ai toujours, mais on ne la voit pas, parce qu'on ne voit rien quand les yeux sont fermés... Toutes les mères sont riches quand elles aiment leurs enfants... Il n'en est pas de pauvres, il n'en est pas de laides, il n'en est pas de vieilles... Leur amour est toujours la plus belle des Joies... Et quand elles semblent tristes, il suffit d'un baiser qu'elles reçoivent ou qu'elles donnent pour que toutes leurs larmes deviennent des étoiles dans le fond de leurs yeux...

TYLTYL, la regardant avec étonnement.

Mais oui, c'est vrai, tes yeux, ils sont remplis d'étoiles... Et ce sont bien tes yeux, mais ils sont bien plus beaux... Et c'est ta main aussi, elle a sa petite bague... Elle a même la brûlure que tu t'es faite un soir en allumant la lampe... Mais elle est bien plus blanche et qu'elle a la peau fine!... On dirait qu'on y voit couler de la lumière... Elle ne travaille pas comme celle de la maison?...

L'AMOUR MATERNEL

Mais si, c'est bien la même; tu n'avais donc

pas vu qu'elle devient toute blanche et s'emplit
de lumière dès qu'elle te caresse?...

TYLTYL

C'est étonnant, maman, c'est bien ta voix
aussi; mais tu parles bien mieux que chez
nous...

L'AMOUR MATERNEL

Chez nous on a bien trop à faire et l'on n'a
pas le temps... Mais ce qu'on ne dit pas, on l'entend tout de même... Maintenant que tu m'as
vue, me reconnaîtras-tu, sous ma robe déchirée,
lorsque tu rentreras demain dans la chaumière?...

TYLTYL

Je ne veux pas rentrer... Puisque tu es ici,
j'y veux rester aussi, tant que tu y seras...

L'AMOUR MATERNEL

Mais c'est la même chose, c'est là-bas que je
suis, c'est là-bas que nous sommes... Tu n'es
venu ici que pour te rendre compte et pour

apprendre enfin comment il faut me voir quand
tu me vois là-bas... Comprends-tu, mon Tyltyl?... Tu te crois dans le ciel; mais le ciel est
partout où nous nous embrassons... Il n'y a pas
deux mères, et tu n'en as pas d'autre... Chaque
enfant n'en a qu'une et c'est toujours la même
et toujours la plus belle; mais il faut la con-
naître et savoir regarder... Mais comment as-tu
fait pour arriver ici et trouver une route que les
Hommes ont cherchée depuis qu'ils habitent la
Terre?...

TYLTYL, montrant la Lumière qui, par discrétion,
s'est un peu écartée.

C'est elle qui m'a conduit...

L'AMOUR MATERNEL

Qui est-ce?...

TYLTYL

La Lumière...

L'AMOUR MATERNEL

Je ne l'ai jamais vue... On m'avait dit qu'elle

vous aimait bien et qu'elle était très bonne...
Mais pourquoi se cache-t-elle?... Elle ne montre
jamais son visage?...

TYLTYL

Mais si, mais elle a peur que les Bonheurs
aient peur s'ils y voyaient trop clair...

L'AMOUR MATERNEL

Mais elle ne sait donc pas que nous n'attendons qu'elle!... (Appelant les autres Grandes Joies.)
Venez, venez, mes sœurs! Venez, accourez
toutes, c'est la Lumière qui vient enfin nous
visiter!...

> Frémissement parmi les Grandes Joies qui se rappro-
> chent. Cris : « La Lumière est ici !... La Lumière, la
> Lumière !... »

LA JOIE-DE-COMPRENDRE, écartant toutes les autres
pour venir embrasser la Lumière.

Vous êtes la Lumière et nous ne savions pas!...
Et voici des années, des années, des années que
nous vous attendons!... Me reconnaissez-vous?...
C'est la Joie-de-comprendre qui vous a tant

cherchée... Nous sommes très heureuses, mais nous ne voyons pas au delà de nous-mêmes...

LA JOIE-D'ÊTRE-JUSTE, embrassant la Lumière
à son tour.

Me reconnaissez-vous ?... C'est la Joie-d'être-juste qui vous a tant priée... Nous sommes très heureuses, mais nous ne voyons pas au delà de nos ombres...

LA JOIE-DE-VOIR-CE-QUI-EST-BEAU, l'embrassant
également.

Me reconnaissez-vous?... C'est la Joie-des-beautés qui vous a tant aimée... Nous sommes très heureuses, mais nous ne voyons pas au delà de nos songes...

LA JOIE-DE-COMPRENDRE

Voyez, voyez, ma sœur, ne nous faites plus attendre... Nous sommes assez fortes, nous sommes assez pures... Écartez donc ces voiles qui nous cachent encore les dernières vérités et les derniers bonheurs... Voyez, toutes mes sœurs s'agenouillent à vos pieds... Vous êtes notre reine et notre récompense...

17

LA LUMIÈRE, resserrant ses voiles.

Mes sœurs, mes belles sœurs, j'obéis à mon Maître... L'heure n'est pas venue, elle sonnera peut-être et je vous reviendrai sans craintes et sans ombres... Adieu, relevez-vous, embrassons-nous encore comme des sœurs retrouvées, en attendant le jour qui paraîtra bientôt...

L'AMOUR MATERNEL, embrassant la Lumière.

Vous avez été bonne pour mes pauvres petits...

LA LUMIÈRE

Je serai toujours bonne autour de ceux qui s'aiment...

LA JOIE-DE-COMPRENDRE, s'approchant de la Lumière.

Que le dernier baiser soit posé sur mon front...

> Elles s'embrassent longuement, et, quand elles se sé-
> parent et relèvent la tête, on voit des larmes dans
> leurs yeux.

TYLTYL, étonné.

Pourquoi pleurez-vous?... (Regardant les autres

Joies.) Tiens ! vous pleurez aussi... Mais pourquoi tout le monde a-t-il des larmes plein les yeux ?...

LA LUMIÈRE

Silence, mon enfant...

RIDEAU

ACTE CINQUIÈME

DIXIÈME TABLEAU

LE ROYAUME DE L'AVENIR

Les salles immenses du Palais d'Azur, où attendent les enfants qui vont naître. — Infinies perspectives de colonnes de saphir soutenant des voûtes de turquoise. Tout ici, depuis la lumière et les dalles de lapis-lazuli jusqu'aux pulvérulences du fond où se perdent les derniers arceaux, jusqu'aux moindres objets, est d'un bleu irréel, intense, féerique. Seuls les chapiteaux et les socles des colonnes, les clefs de voûte, quelques sièges, quelques bancs circulaires sont de marbre blanc ou d'albâtre.— A droite, entre les colonnes, de grandes portes opalines. Ces portes, dont le Temps, vers la fin de la scène, écartera les battants, s'ouvrent sur la Vie actuelle et les quais de l'Aurore. Partout, peuplant harmonieusement la salle, une foule d'enfants vêtus de longues robes azurées. — Les uns jouent, d'autres se promènent, d'autres causent ou songent; beaucoup sont endormis, beaucoup aussi travaillent, entre les colonnades, aux inventions futures: et leurs outils, leurs ins-

17.

truments, les appareils qu'ils construisent, les plantes, les fleurs et les fruits qu'ils cultivent ou qu'ils cueillent sont du même bleu surnaturel et lumineux que l'atmosphère générale du Palais. — Parmi les enfants, revêtues d'un azur plus pâle et plus diaphane, passent et repassent quelques figures de haute taille, d'une beauté souveraine et silencieuse, qui paraissent être des anges.

———

Entrent à gauche, comme à la dérobée, en se glissant parmi les colonnes du premier plan, Tyltyl, Mytyl et la Lumière. Leur arrivée provoque un certain mouvement parmi les Enfants-Bleus qui bientôt accourent de toutes parts et se groupent autour des insolites visiteurs qu'ils contemplent avec curiosité.

MYTYL

Où est le Sucre, la Chatte et le bon Pain?...

LA LUMIÈRE

Ils ne peuvent pas entrer ici; ils connaîtraient l'Avenir et n'obéiraient plus...

TYLTYL

Et le Chien?...

LA LUMIÈRE

Il n'est pas bon, non plus, qu'il sache ce qui

l'attend dans la suite des siècles... Je les ai emprisonnés dans les souterrains de l'église..

TYLTYL

Où sommes-nous?...

LA LUMIÈRE

Nous sommes dans le Royaume de l'Avenir, au milieu des enfants qui ne sont pas encore nés. Puisque le Diamant nous permet de voir clair en cette région que les Hommes n'aperçoivent pas, nous y trouverons fort probablement l'Oiseau-Bleu...

TYLTYL

Bien sûr que l'Oiseau sera bleu, puisque tout y est bleu... (Regardant tout autour de soi.) Dieu que c'est beau tout ça!...

LA LUMIÈRE

Regarde les enfants qui accourent...

TYLTYL

Est-ce qu'ils sont fâchés?...

LA LUMIÈRE

Pas du tout... Tu vois bien, ils sourient, mais ils sont étonnés...

LES ENFANTS-BLEUS, accourant
de plus en plus nombreux.

Des petits Vivants... Venez voir les petits Vivants !...

TYLTYL

Pourquoi qu'ils nous appellent « les petits Vivants »?...

LA LUMIÈRE

Parce qu'eux, ils ne vivent pas encore...

TYLTYL

Qu'est-ce qu'ils font alors?...

LA LUMIÈRE

Ils attendent l'heure de leur naissance...

TYLTYL

L'heure de leur naissance?...

LA LUMIÈRE

Oui; c'est d'ici que viennent tous les enfants
qui naissent sur notre Terre. Chacun attend son
jour... Quand les Pères et les Mères désirent
des enfants, on ouvre les grandes portes que
tu vois là, à droite; et les petits descendent...

TYLTYL

Y en a-t-il! Y en a-t-il!...

LA LUMIÈRE

Il y en a bien davantage... On ne les voit pas
tous... Pense donc, il en faut de quoi peupler
la fin des temps... Personne ne saurait les comp-
ter...

TYLTYL

Et ces grandes personnes bleues, qu'est-ce que
c'est?...

LA LUMIÈRE

On ne sait plus au juste... On croit que ce sont
des gardiennes... On dit qu'elles viendront sur
Terre après les Hommes... Mais il n'est pas permis de les interroger...

TYLTYL

Pourquoi?

LA LUMIÈRE

Parce que c'est le secret de la Terre...

TYLTYL

Et les autres, les petits, on peut leur parler?...

LA LUMIÈRE

Bien sûr, il faut faire connaissance... Tiens, en voilà un plus curieux que les autres... Approche-toi, parle-lui...

TYLTYL

Qu'est-ce qu'il faut lui dire?...

LA LUMIÈRE

Ce que tu voudras, comme à un petit camarade...

TYLTYL

Est-ce qu'on peut lui donner la main?

LA LUMIÈRE

Évidemment, il ne te fera pas de mal... Mais voyons, n'aie donc pas l'air si emprunté... Je vais vous laisser seuls, vous serez plus à l'aise entre vous... J'ai d'ailleurs à causer avec la Grande-personne Bleue...

TYLTYL, s'approchant de l'Enfant-Bleu et lui tendant la main.

Bonjour!... (Touchant du doigt la robe bleue de l'Enfant.) Qu'est-ce que c'est que ça?

L'ENFANT, touchant gravement du doigt le chapeau de Tyltyl.

Et ça?...

TYLTYL

Ça?... C'est mon chapeau... Tu n'as pas de chapeau?...

L'ENFANT

Non; pourquoi c'est faire?...

TYLTYL

C'est pour dire bonjour... Et puis, pour quand fait froid...

L'ENFANT

Qu'est-ce que c'est faire froid?...

TYLTYL

Quand on tremble comme ça : brrr! brrr!...
qu'on souffle dans ses mains et qu'on fait aller
les bras comme ceci...

Il se brasse vigoureusement.

L'ENFANT

Il fait froid sur la Terre?...

TYLTYL

Mais oui, des fois, l'hiver, quand on n'a pas de
feu...

L'ENFANT

Pourquoi qu'on n'en a pas?...

TYLTYI

Parce que ça coûte cher et qu'il faut de l'argent pour acheter du bois...

L'ENFANT

Quoi que c'est de l'argent?

TYLTYL

C'est avec quoi l'on paie...

L'ENFANT

Ah!...

TYLTYL

Il y en a qui en ont, d'autres qui n'en ont point...

L'ENFANT

Pourquoi?...

TYLTYL

C'est qu'ils ne sont pas riches... Est-ce que tu es riche?... Quel âge as-tu?...

L'ENFANT

Je vais naître bientôt... Je naîtrai dans douze ans... Est-ce que c'est bon, naître?...

TYLTYL

Oh oui!... C'est amusant!...

L'ENFANT

Comment que tu as fait?...

TYLTYL

Je ne me rappelle plus... Il y a si longtemps!...

L'ENFANT

On dit que c'est si beau, la Terre et les Vivants!...

TYLTYL

Mais oui, ce n'est pas mal... Il y a des oiseaux, des gâteaux, des jouets... Quelques-uns les ont tous; mais ceux qui n'en ont pas peuvent regarder les autres..

L'ENFANT

On nous dit que les mères attendent à la porte... Elles sont bonnes, est-ce vrai?...

TYLTYL

Oh oui!... Elles sont meilleures que tout ce qu'il y a!... Les bonnes-mamans aussi; mais elles meurent trop vite...

L'ENFANT

Elles meurent?... Qu'est-ce que c'est ça?...

TYLTYL

Elles s'en vont un soir, et ne reviennent plus...

L'ENFANT

Pourquoi?...

TYLTYL

Est-ce qu'on sait?... Peut-être qu'elles sont tristes...

L'ENFANT

Elle est partie, la tienne?...

TYLTYL

Ma bonne-maman?...

L'ENFANT

Ta maman ou ta bonne-maman, est-ce que je sais, moi?...

TYLTYL

Ah! mais, ça n'est pas la même chose!... Les

bonnes-mamans s'en vont d'abord; c'est déjà assez triste... La mienne était très bonne...

L'ENFANT

Qu'est-ce qu'ils ont, tes yeux?... Est-ce qu'ils font des perles?...

TYLTYL

Mais non; c'est pas des perles...

L'ENFANT

Qu'est-ce que c'est alors?...

TYLTYL

C'est rien, c'est tout ce bleu qui m'éblouit un peu...

L'ENFANT

Comment que ça s'appelle?...

TYLTYL

Quoi?...

L'ENFANT

Là, ce qui tombe?...

TYLTYL

C'est rien, c'est un peu d'eau..

L'ENFANT

Est-ce qu'elle sort des yeux?...

TYLTYL

Oui, des fois, quand on pleure...

L'ENFANT

Qu'est-ce que c'est pleurer?

TYLTYL

Moi, je n'ai pas pleuré; c'est la faute à ce
bleu... Mais si j avais pleuré ce serait la même
chose...

L'ENFANT

Est-ce qu'on pleure souvent?...

TYLTYL

Pas les petits garçons, mais les petites filles...
On ne pleure pas ici?...

18.

L'ENFANT

Mais non, je ne sais pas...

TYLTYL

Eh bien, tu apprendras... Avec quoi que tu joues, ces grandes ailes bleues?...

L'ENFANT

Ça?... C'est pour l'invention que je ferai sur Terre...

TYLTYL

Quelle invention?... |Tu as donc inventé quelque chose?...

L'ENFANT

Maïs oui, tu ne sais pas?... Quand je serai sur Terre, il faudra que j'invente la Chose qui rend Heureux...

TYLTYL

Est-elle bonne à manger?... Est-ce qu'elle fait du bruit?...

L'ENFANT

Mais non, on n'entend rien...

TYLTYL

C'est dommage...

L'ENFANT

J'y travaille chaque jour... Elle est presque achevée... Veux-tu voir?...

TYLTYL

Bien sûr... Où donc est-elle?...

L'ENFANT

Là, on la voit d'ici, entre ces deux colonnes...

UN AUTRE ENFANT-BLEU, s'approchant de Tyltyl et le tirant par la manche

Veux-tu voir la mienne, dis?...

TYLTYL

Mais oui, qu'est-ce que c'est?...

DEUXIÈME ENFANT

Les trente-trois remèdes pour prolonger la vie... Là, dans ces flacons bleus...

TROISIÈME ENFANT, sortant de la foule.

Moi, j'apporte une lumière que personne ne connaît!... (Il s'illumine tout entier d'une flamme extraordinaire.) C'est assez curieux, pas?...

QUATRIÈME ENFANT, tirant Tyltyl par le bras.

Viens donc voir ma machine qui vole dans les airs comme un oiseau sans ailes!...

CINQUIÈME ENFANT

Non, non; d'abord la mienne qui trouve les trésors qui se cachent dans la lune!...

Les Enfants-Bleus s'empressent autour de Tyltyl et de Mytyl en criant tous ensemble : « Non, non, viens voir la mienne!... Non, la mienne est plus belle!... La mienne est étonnante!... La mienne est tout en sucre!... La sienne n'est pas curieuse... Il m'en a pris l'idée!..., etc. ». Parmi ces exclamations désordonnées, on entraîne les petits Vivants du côté des ateliers bleus; et là, chacun des inventeurs met en mouvement sa machine idéale. C'est un tournoiement céruléen de roues, de disques, de volants, d'engrenages, de poulies, de courroies,

d'objets étranges et encore innommés qu'enveloppent
les bleuâtres vapeurs de l'irréel. Une foule d'appareils
bizarres et mystérieux s'élancent et planent sous les
voûtes, ou rampent au pied des colonnes, tandis que
des enfants déroulent des cartes et des plans, ouvrent
des livres, découvrent des statues azurées, apportent
d'énormes fleurs, de gigantesques fruits qui semblent
formés de saphirs et de turquoises.

UN PETIT ENFANT-BLEU, courbé sous le poids
de colossales pâquerettes d'azur.

Regardez donc mes fleurs!..

TYLTYL

Qu'est-ce que c'est?... Je ne les connais
pas...

LE PETIT ENFANT-BLEU

Ce sont des pâquerettes!...

TYLTYL

Pas possible!... Elles sont grandes comme des
roues...

LE PETIT ENFANT-BLEU

Et ce qu'elles sentent bon!...

TYLTYL, les humant.

Prodigieux !...

LE PETIT ENFANT-BLEU

Elles seront comme ça quand je serai sur
l'erre...

TYLTYL

Quand donc ?...

LE PETIT ENFANT-BLEU

Dans cinquante-trois ans, quatre mois et
neuf jours...

Arrivent deux Enfants-Bleus qui portent comme un lustre,
pendue à une perche, une invraisemblable grappe de
raisins dont les baies sont plus grosses que des poires.

L'UN DES ENFANTS QUI PORTENT LA GRAPPE

Que dis-tu de mes fruits ?...

TYLTYL

Une grappe de poires !...

L'ENFANT

Mais non, c'est des raisins !... Ils seront tous

ainsi, lorsque j'aurai trente ans... J'ai trouvé
le moyen...

UN AUTRE ENFANT, écrasé sous une corbeille de pommes
bleues grosses comme des melons.

Et moi!... Voyez mes pommes!...

TYLTYL

Mais ce sont des melons!...

L'ENFANT

Mais non!... Ce sont mes pommes, et les
moins belles encore!... Toutes seront de même
quand je serai vivant... J'ai trouvé le système!...

UN AUTRE ENFANT, apportant sur une brouette bleue
des melons bleus plus gros que des citrouilles.

Et mes petits melons?...

TYLTYL

Mais ce sont des citrouilles!...

L'ENFANT AUX MELONS

Quand je viendrai sur terre, les melons seront

fiers!... Je serai le jardinier du Roi des neuf
Planètes...

TYLTYL

Le Roi des neuf Planètes?... Où est-il?...

LE ROI DES NEUF PLANÈTES, s'avançant fièrement.
Il semble avoir quatre ans et peut à grand'peine se tenir
debout sur ses petites jambes torses.

Le voici!

TYLTYL

Eh bien! tu n'es pas grand...

LE ROI DES NEUF PLANÈTES, grave et sentencieux.

Ce que je ferai sera grand.

TYLTYL

Qu'est-ce que tu feras?

LE ROI DES NEUF PLANÈTES

Je fonderai la Confédération générale des
Planètes solaires.

TYLTYL, interloqué.

Ah, vraiment?

LE ROI DES NEUF PLANÈTES

Toutes en feront partie, excepté Saturne, Uranus et Neptune qui sont à des distances exagérées et incommensurables.

Il se retire avec dignité.

TYLTYL

Il est intéressant...

UN ENFANT-BLEU

Et vois-tu celui-là?

TYLTYL

Lequel?

L'ENFANT

Là, le petit qui dort au pied de la colonne...

TYLTYL

Eh bien?

L'ENFAN

Il apportera la joie pure sur le Globe..

TYLTYL

Comment?...

19

L'ENFANT

Par des idées qu'on n'a pas encore eues...

TYLTYL

Et l'autre, le petit gros qui a les doigts dans le nez, qu'est-ce qu'il fera, lui?...

L'ENFANT

Il doit trouver le feu pour réchauffer la Terre quand le Soleil sera plus pâle...

TYLTYL

Et les deux qui se tiennent par la main et s'embrassent tout le temps; est-ce qu'ils sont frère et sœur?...

L'ENFANT

Mais non, ils sont très drôles... Ce sont les Amoureux...

TYLTYL

Qu'est-ce que c'est?..

L'ENFANT

Je ne sais pas... C'est le Temps qui les appelle
ainsi pour s'en moquer... Ils se regardent tout
le jour dans les yeux, ils s'embrassent et se
disent adieu...

TYLTYL

Pourquoi?

L'ENFANT

Il paraît qu'ils ne pourront pas partir ensemble...

TYLTYL

Et le petit tout rose, qui semble si sérieux et
qui suce son pouce, qu'est-ce que c'est?...

L'ENFANT

Il paraît qu'il doit effacer l'Injustice sur la
Terre...

TYLTYL

Ah?...

L'ENFANT

On dit que c'est un travail effrayant...

TYLTYL

Et le petit rousseau qui marche comme s'il n'y voyait pas. Est-ce qu'il est aveugle?..

L'ENFANT

Pas encore; mais il le deviendra... Regarde-le bien; il paraît qu'il doit vaincre la Mort...

TYLTYL

Qu'est-ce que ça veut dire?..

L'ENFANT

Je ne sais pas au juste; mais on dit que c'est grand...

TYLTYL, *montrant une foule d'enfants endormis au pied des colonnes, sur les marches, les bancs, etc.*

Et tous ceux-là qui dorment, — comme il y en a qui dorment! — est-ce qu'ils ne font rien?...

L'ENFANT

Ils pensent à quelque chose...

TYLTYL

A quoi?..

L'ENFANT

Ils ne le savent pas encore; mais ils doivent apporter quelque chose sur la Terre; il est défendu de sortir les mains vides...

TYLTYL

Qui est-ce qui le défend?...

L'ENFANT

C'est le Temps qui se tient à la porte... Tu verras quand il ouvrira... Il est bien embêtant...

UN ENFANT, accourant du fond de la salle, en fendant la foule.

Bonjour, Tyltyl!...

TYLTYL

Tiens!... Comment sait-il mon nom?...

L'ENFANT, qui vient d'accourir et qui embrasse Tyltyl et Mytyl avec effusion.

Bonjour!... Ça va bien?... — Voyons, embrasse-moi, et toi aussi, Mytyl... Ce n'est pas étonnant que je sache ton nom, puisque je serai ton frère... On vient seulement de me dire que tu es là... J'étais tout au bout de la salle, en train d'emballer mes idées... — Dis à maman que je suis prêt...

TYLTYL

Comment?... Tu comptes venir chez nous?

L'ENFANT

Bien sûr, l'année prochaine, le dimanche des Rameaux... Ne me tourmente pas trop quand je serai petit... Je suis bien content de vous avoir embrassés d'avance... — Dis à Papa qu'il répare le berceau... — Est-ce qu'on est bien chez nous?..

TYLTYL

Mais on n'y est pas mal... Et Maman est si bonne!...

L'ENFANT

Et la nourriture?...

TYLTYL

Ça dépend... Il y a même des jours où l'on a des gâteaux, n'est-il pas vrai, Mytyl?...

MYTYL

Au Nouvel An et le Quatorze Juillet... C'est maman qui les fait...

TYLTYL

u'as-tu là, dans ce sac?... Tu nous apportes quelque chose?...

L'ENFANT, très fièrement.

J'apporte trois maladies : la fièvre scarlatine, la coqueluche et la rougeole...

TYLTYL

Eh bien, si c'est tout ça!... Et après, que feras-tu?...

L'ENFANT

Après?... Je m'en irai...

TYLTYL

Ce sera bien la peine de venir !...

L'ENFANT

Est-ce qu'on a le choix ?..

A ce moment, on entend s'élever et se répandre une sorte de vibration prolongée, puissante et cristalline qui semble émaner des colonnes et des **portes** d'opale que touche une lumière plus vive.

TYLTYL

Qu'est-ce que c'est ?...

UN ENFANT

C'est le Temps !... Il va ouvrir les portes !...

Aussitôt, un vaste remous se propage dans la foule des Enfants-Bleus. La plupart quittent leurs machines et leurs travaux, de nombreux dormeurs s'éveillent, et les uns comme les autres tournent les yeux vers les portes d'opale et se rapprochent de celles-ci.

LA LUMIÈRE, rejoignant Tyltyl.

Tâchons de nous dissimuler derrière les colonnes... Il ne faut pas que le Temps nous découv

TYLTYL

D'où vient ce bruit?...

UN ENFANT

C'est l'Aurore qui se lève... C'est l'heure où les enfants qui naîtront aujourd'hui vont descendre sur Terre...

TYLTYL

Comment qu'ils descendront?... Il y a des échelles?..

L'ENFANT

Tu vas voir... Le Temps tire les verrous...

TYLTYL

Qu'est-ce que c'est le Temps?...

L'ENFANT

C'est un vieil homme qui vient appeler ceux qui partent...

TYLTYL

Est-ce qu'il est méchant?...

L'ENFANT

Non, mais il n'entend rien... On a beau sup-
plier, quand ce n'est pas leur tour, il repousse
tous ceux qui voudraient s'en aller...

TYLTYL

Est-ce qu'ils sont heureux de partir?.

L'ENFANT

On n'est pas content quand on reste; mais
on est triste quand on s'en va... Là! Là!...
Voilà qu'il ouvre!...

> Les grandes portes opalines roulent lentement sur leurs
> gonds. On entend, comme une musique lointaine, les
> rumeurs de la Terre. Une clarté rouge et verte pénètre
> dans la salle; et le Temps, haut vieillard à la barbe
> flottante, armé de sa faux et de son sablier, paraît sur
> le seuil, tandis qu'on aperçoit l'extrémité des voiles
> blanches et dorées d'une galère amarrée à une sorte de
> quai que forment les vapeurs roses de l'Aurore.

LE TEMPS, sur le seuil.

Ceux dont l'heure est sonnée sont-ils prêts?...

DES ENFANTS-BLEUS, fendant la foule et accourant de toutes parts.

Nous voici!... Nous voici!... Nous voici!...

LE TEMPS, d'une voix bourrue, aux enfants
qui défilent devant lui pour sortir.

Un à un !... Il s'en présente encore beaucoup
plus qu'il n'en faut !... C'est toujours la même
chose !... On ne me trompe pas !... (Repoussant un
enfant.) Ce n'est pas ton tour !... Rentre, c'est
pour demain... Toi non plus, rentre donc et re-
viens dans dix ans... Un treizième berger?... Il
n'en fallait que douze; on n'en a plus besoin, nous
ne sommes plus au temps de Théocrite ou de
Virgile... Encore des médecins?... Il y en a déjà
trop; on s'en plaint sur la Terre... Et les ingé-
nieurs, où sont-ils?... On veut un honnête
homme, un seul, comme phénomène... Où donc
est l'honnête homme?... C'est toi?... (L'enfant fait
signe que oui.) Tu m'as l'air bien chétif... tu ne
vivras pas longtemps !... Holà, vous autres, là,
pas si vite !... Et toi, qu'apportes-tu?... Rien du
tout? les mains vides?... Alors on ne passe
pas... Prépare quelque chose, un grand crime, si
tu veux, ou une maladie, moi, cela m'est égal...
mais il faut quelque chose... (Avisant un petit que
d'autres poussent en avant et qui résiste de toutes ses forces.)
Eh bien, toi, qu'as-tu donc?... Tu sais bien que
c'est l'heure... On demande un héros qui com-
batte l'Injustice; c'est toi, il faut partir...

LES ENFANTS-BLEUS

Il ne veut pas, monsieur...

LE TEMPS

Comment?... Il ne veut pas?... Où donc se croit-il, ce petit avorton?... Pas de réclamations, nous n'avons pas le temps...

LE PETIT, que l'on pousse.

Non, non!... Je ne veux pas!... J'aime mieux ne pas naître!... J'aime mieux rester ici!...

LE TEMPS

Il ne s'agit pas de ça... Quand c'est l'heure, c'est l'heure!... Allons, vite, en avant!...

UN ENFANT, s'avançant.

Oh! laissez-moi passer!... J'irai prendre sa place!... On dit que mes parents sont vieux et m'attendent depuis si longtemps!...

LE TEMPS

Pas de ça... L'heure est l'heure et le temps est

le temps... On n'en finirait pas si l'on vous écou-
tait... L'un veut, l'autre refuse, c'est trop tôt,
c'est trop tard... (Écartant des enfants qui ont envahi le
seuil.) Pas si près, les petits... Arrière les curieux...
Ceux qui ne partent pas n'ont rien à voir
dehors... Maintenant vous avez hâte; puis, votre
tour venu, vous aurez peur et vous reculerez...
Tenez, en voilà quatre qui tremblent comme
des feuilles... (A un enfant qui, sur le point de franchir le
seuil, rentre brusquement.) Eh bien, quoi?... Qu'as-tu
donc?..

L'ENFANT

J'ai oublié la boîte qui contient les deux crimes
que je devrai commettre...

UN AUTRE ENFANT

Et moi le petit pot qui renferme l'idée pour
éclairer les foules...

TROISIÈME ENFANT

J'ai oublié la greffe de ma plus belle poire!...

LE TEMPS

Courez vite les chercher!... Il ne nous reste

plus que six cent douze secondes... La galère
de l'Aurore bat déjà des voiles pour montrer
qu'elle attend... Vous arriverez trop tard et
vous ne naîtrez plus... Allons, vite, embar-
quons!... (Saisissant un enfant qui veut lui passer entre les
jambes pour gagner le quai.) Ah! toi, non, par exemple!...
C'est la troisième fois que tu essayes de naître
avant ton tour... Que je ne t'y prenne plus,
sinon ce sera l'attente éternelle près de ma sœur
l'Éternité; et tu sais qu'on ne s'y amuse pas...
Mais voyons, sommes-nous prêts?... Tout le
monde est à son poste?... (Parcourant du regard les
enfants réunis sur le quai ou déjà assis dans la galère.) Il
en manque encore un... Il a beau se cacher, je₁
le vois dans la foule... On ne me trompe pas...
Allons, toi, le petit qu'on appelle l'Amoureux,
dis adieu à ta belle...

> Les deux petits qu'on appelle « les Amoureux », tendre-
> ment enlacés et le visage livide de désespoir, s'avancent
> vers le Temps et s'agenouillent à ses pieds.

PREMIER ENFANT

Monsieur le Temps, laissez-moi partir avec
lui!...

DEUXIÈME ENFANT

Monsieur le Temps, laissez-moi rester avec elle!...

LE TEMPS

Impossible!... Il ne nous reste plus que trois cent quatre-vingt-quatorze secondes..

PREMIER ENFANT

J'aime mieux ne pas naître!...

LE TEMPS

On n'a pas le choix...

DEUXIÈME ENFANT, suppliant.

Monsieur le Temps, j'arriverai trop tard!...

PREMIER ENFANT

Je ne serai plus là quand elle descendra!...

DEUXIÈME ENFANT

Je ne le verrai plus!...

PREMIER ENFANT

Nous serons seuls au monde!...

LE TEMPS

Tout ça ne me regarde pas... Réclamez auprès
de la Vie... Moi, j'unis, je sépare, selon ce qu'on
m'a dit... (Saisissant l'un des enfants.) Viens!...

PREMIER ENFANT, se débattant.

Non, non, non!... Elle aussi!...

DEUXIÈME ENFANT, s'accrochant aux vêtements du premier.

Laissez-le!.... Laissez-le!...

LE TEMPS

Mais voyons, ce n'est pas pour mourir, c'est
pour vivre!... (Entraînant le premier enfant.) Viens!...

DEUXIÈME ENFANT, tendant éperdument les bras vers l'enfant qu'on enlève.

Un signe!... Un seul signe!... Dis-moi, comment te retrouver!...

PREMIER ENFANT

Je t'aimerai toujours!...

DEUXIÈME ENFANT

Je serai la plus triste!... Tu me reconnaîtras!...

Elle tombe et reste étendue sur le sol.

LE TEMPS

Vous feriez beaucoup mieux d'espérer... Et
maintenant, c'est tout... (Consultant son sablier.) Il
ne nous reste plus que soixante-trois secondes...

Derniers et violents remous parmi les enfants qui partent
et qui demeurent. — On échange des adieux précipités :
« Adieu, Pierre !... Adieu Jean... — As-tu tout ce qu'il
faut ?... Annonce ma pensée !... — N'as-tu rien oublié ?... — Tâche de me reconnaître !... — Je te re-
trouverai !... — Ne perds pas tes idées ?... — Ne te
penche pas trop sur l'Espace !... — Donne-moi de tes
nouvelles !...—On dit qu'on ne peut pas !...— Si, si !...
essaie toujours !... — Tâche de dire si c'est beau !...
— J'irai à ta rencontre !... — Je naîtrai sur un
trône !..», etc., etc.

20.

LE TEMPS, agitant ses clefs et sa faux.

Assez! assez!... L'ancre est levée!...

Les voiles de la galère passent et disparaissent. On entend s'éloigner les cris des enfants dans la galère :
« Terre !... terre !... Je la vois !... Elle est belle !... Elle
est claire !... Elle est grande !... ». Puis, comme sortant
du fond de l'abîme, un chant extrêmement lointain
d'allégresse et d'attente.

TYLTYL, à la Lumière.

Qu'est-ce?... Ce n'est pas eux qui chantent...
On dirait d'autres voix...

LA LUMIÈRE

Oui, c'est le chant des Mères qui viennent à
leur rencontre..

Cependant, le Temps referme les portes opalines. Il se
retourne pour jeter un dernier regard dans la salle, et
soudain aperçoit Tyltyl, Mytyl et la Lumière.

LE TEMPS, stupéfait et furieux.

Qu'est-ce que c'est?... Que faites-vous ici?...
Qui êtes-vous?... Pourquoi n'êtes-vous pas
bleus?... Par où êtes-vous entrés?...

Il s'avance en les menaçant de sa faux.

LA LUMIÈRE, à Tyltyl.

Ne réponds pas!... J'ai l'Oiseau-Bleu... Il est
caché sous ma mante... Sauvons-nous... Tourne
le Diamant, il perdra notre trace...

Ils s'esquivent à gauche, entre les colonnes du premier
plan.

RIDEAU

ACTE SIXIÈME

ONZIÈME TABLEAU

L'ADIEU

La scène représente un mur percé d'une petite porte.
C'est la pointe du jour.

Entrent : Tyltyl, Mytyl, la Lumière, le Pain, le Sucre,
le Feu et le Lait.

LA LUMIÈRE

Tu ne devinerais jamais où nous sommes...

TYLTYL

Bien sûr que non, la Lumière, puisque je ne
sais pas...

LA LUMIÈRE

Tu ne reconnais pas ce mur et cette petite
porte?..

TYLTYL

C'est un mur rouge et une petite porte verte...

LA LUMIÈRE

Et ça ne te rappelle rien?...

TYLTYL

Ça me rappelle que le Temps nous a mis à la
porte...

LA LUMIÈRE

Qu'on est bizarre quand on rêve... On ne
reconnaît pas sa propre main...

TYLTYL

Qui est-ce qui rêve?... Est-ce moi?..

LA LUMIÈRE

C'est peut-être moi... Qu'en sait-on?... En

attendant, ce mur entoure une maison que tu as
vue plus d'une fois depuis ta naissance...

TYLTYL

Une maison que j'ai vue plus d'une fois?

LA LUMIÈRE

Mais oui, petit endormi!... C'est la maison
que nous avons quittée un soir, il y a tout juste,
jour pour jour, une année...

TYLTYL

Il y a tout juste une année?... Mais alors?...

LA LUMIÈRE

N'ouvre pas des yeux comme des grottes de
saphir... C'est elle, c'est la bonne maison des
parents...

TYLTYL, s'approchant de la porte.

Mais je crois... En effet... Il me semble... Cette
petite porte... Je reconnais la chevillette... Ils
sont là?... Nous sommes près de Maman?... Je
veux entrer tout de suite... Je veux l'embrasser
tout de suite!..

LA LUMIÈRE

Un instant... Ils dorment profondément; il ne faut pas les réveiller en sursaut... Du reste, la porte ne s'ouvrira que lorsque l'heure sonnera..

TYLTYL

Quelle heure?... Il y a longtemps à attendre?...

LA LUMIÈRE

Hélas, non!... quelques pauvres minutes...

TYLTYL

Tu n'es pas heureuse de rentrer?... Qu'as-tu donc, la Lumière?... Tu es pâle, on dirait que tu es malade..

LA LUMIÈRF

Ce n'est rien, mon enfant... Je me sens un peu triste, parce que je vais vous quitter...

TYLTYL

Nous quitter?...

LA LUMIÈRE

Il le faut... Je n'ai plus rien à faire ici ; l'année est révolue, la Fée va revenir et te demander l'Oiseau-Bleu...

TYLTYL

Mais c'est que je ne l'ai pas, l'Oiseau-Bleu !... Celui du Souvenir est devenu tout noir, celui de l'Avenir est devenu tout rouge, ceux de la Nuit sont morts et je n'ai pas pu prendre celui de la Forêt... Est-ce ma faute à moi s'ils changent de couleur, s'ils meurent ou s'ils s'échappent ?... Est-ce que la Fée sera fâchée, et qu'est-ce qu'elle dira ?...

LA LUMIÈRE

Nous avons fait ce que nous avons pu... Il faut croire qu'il n'existe pas, l'Oiseau-Bleu ; ou qu'il change de couleur lorsqu'on le met en cage...

TYLTYL

Où est-elle, la cage ?...

LE PAIN

Ici, maître... Elle fut confiée à mes soins dili-

21

gents durant ce long et périlleux voyage ; aujour-
d'hui que ma mission prend fin, je vous la restitue,
intacte et bien fermée, telle que je la reçus...
(Comme un orateur qui prend la parole.) Maintenant, au
nom de tous, qu'il me soit permis d'ajouter
quelques mots...

LE FEU

Il n'a pas la parole !...

L'EAU

Silence !...

LE PAIN

Les interruptions malveillantes d'un ennemi
méprisable, d'un rival envieux... (Élevant la voix.)
ne m'empêcheront pas d'accomplir mon devoir
jusqu'au bout... C'est donc au nom de tous...

LE FEU

Pas au mien... J'ai une langue !...

LE PAIN

...C'est donc au nom de tous, et avec une émotion contenue mais sincère et profonde, que je

prends congé de deux enfants prédestinés, dont
la haute mission se termine aujourd'hui. En
leur disant adieu avec toute l'affliction et toute
la tendresse qu'une mutuelle estime..

TYLTYL

Comment?... Tu dis adieu?... Tu nous quittes
donc aussi?...

LE PAIN

Hélas! il le faut bien... Je vous quitte, il est
vrai; mais la séparation ne sera qu'apparente,
vous ne m'entendrez plus parler...

LE FEU

Ce ne sera pas malheureux!...

L'EAU

Silence!...

LE PAIN, très digne.

Cela ne m'atteint point... Je disais donc :
vous ne m'entendrez plus, vous ne me verrez
plus sous ma forme animée... Vos yeux vont se
fermer à la vie invisible des choses; mais je serai

toujours là, dans la huche, sur la planche, sur la table, à côté de la soupe, moi qui suis, j'ose le dire, le plus fidèle commensal et le plus vieil ami de l'Homme...

LE FEU

Eh bien, et moi?...

LA LUMIÈRE

Voyons, les minutes passent, l'heure est près de sonner qui va nous faire rentrer dans le silence... Hâtez-vous d'embrasser les enfants...

LE FEU, se précipitant.

Moi d'abord, d'abord moi!... (Il embrasse violemment les enfants.) Adieu, Tyltyl et Mytyl!,.. Adieu, mes chers petits... Souvenez-vous de moi si jamais vous avez besoin de quelqu'un pour mettre le Feu quelque part...

MYTYL

Aïe! aïe!... Il me brûle!...

TYLTYL

Aïe! aïe!. Il me roussit le nez!.....

LA LUMIÈRE

Voyons, le Feu, modérez un peu vos transports... Vous n'avez pas affaire à votre cheminée...

L'EAU

Quel idiot !...

LE PAIN

Est-il mal élevé !...

L'EAU, s'approchant des enfants.

Je vous embrasserai sans vous faire de mal, tendrement, mes enfants..

LE FEU

Prenez garde, ça mouille !...

L'EAU

Je suis aimante et douce; je suis bonne aux humains...

LE FEU

Et les noyés?...

21.

L'EAU

Aimez bien les Fontaines, écoutez les Ruis
seaux... Je serai toujours là...

LE FEU

Elle a tout inondé!...

L'EAU

Quand vous vous assiérez, le soir, au bord des
Sources, — il y en a plus d'une ici, dans la forêt,
— essayez de comprendre ce qu'elles essaient
de dire... Je ne peux plus... Les larmes me suf-
foquent et m'empêchent de parler...

LE FEU

Il n'y paraît point!...

L'EAU

Souvenez-vous de moi lorsque vous verrez la
carafe... Vous me trouverez également dans le
broc, dans l'arrosoir, dans la citerne et dans le
robinet...

LE SUCRE, naturellement papelard et doucereux.

S'il reste une petite place dans votre souvenir, rappelez-vous que parfois ma présence
vous fut douce... Je ne puis vous en dire davantage... Les larmes sont contraires à mon tempé-
rament, et me font bien du mal quand elles
tombent sur mes pieds..

LE PAIN

Jésuite!...

LE FEU, glapissant.

Sucre d'orge! berlingots! caramels!...

TYLTYL

Mais où donc sont passés Tylette et Tylô?...
Que font-ils?...

Au même moment, on entend des cris aigus poussés par
la Chatte.

MYTYL, alarmée.

C'est Tylette qui pleure!... On lui fait du
mal!...

Entre en courant la Chatte, hérissée, dépeignée, les
vêtements déchirés, et tenant son mouchoir sur la joue,
comme si elle avait mal aux dents. Elle pousse des
gémissements courroucés et est serrée de très près par
le Chien qui l'accable de coups de tête, de coups de
poing et de coups de pied.

LE CHIEN, battant la Chatte.

Là!... En as-tu assez?... En veux-tu encore?...
Là! là! là!...

LA LUMIÈRE, TYLTYL et MYTYL, se précipitant pour les séparer.

Tylô!... Es-tu fou?... Par exemple!... A bas!...
Veux-tu finir!... A-t-on jamais vu!... Attends!
attends!...

On les sépare énergiquement.

LA LUMIÈRE

Qu'est-ce que c'est?... Que s'est-il passé?...

LA CHATTE, pleurnichant et s'essuyant les yeux.

C'est lui, madame la Lumière... Il m'a dit des
injures, il a mis des clous dans ma soupe, il
m'a tiré la queue, il m'a roué de coups, et je
n'avais rien fait, rien du tout, rien du tout!...

LE CHIEN, l'imitant.

Rien du tout, rien du tout!... (A mi-voix, lui faisant la nique.) C'est égal, t'en as eu, t'en as eu, et du bon, et t'en auras encore!...

MYTYL, serrant la Chatte dans ses bras.

Ma pauvre Tylette, dis-moi donc où c'est que t'as mal... Je vais pleurer aussi!...

LA LUMIÈRE, au Chien, sévèrement.

Votre conduite est d'autant plus indigne que vous choisissez pour nous donner ce triste spectacle le moment, déjà assez pénible par lui-même, où nous allons nous séparer de ces pauvres enfants...

LE CHIEN, subitement dégrisé.

Nous séparer de ces pauvres enfants?...

LA LUMIÈRE

Oui, l'heure que vous savez va sonner... Nous allons rentrer dans le Silence... Nous ne pourrons plus leur parler...

LE CHIEN, poussant tout à coup de véritables hurlements de désespoir et se jetant sur les enfants qu'il accable de caresses violentes et tumultueuses.

Non, non!... Je ne veux pas!... Je ne veux pas!... Je parlerai toujours!... Tu me comprendras maintenant, n'est-ce pas, mon petit dieu?... Oui, oui, oui!.... Et l'on se dira tout, tout, tout!... Et je serai bien sage... Et j'apprendrai à lire, à écrire et à jouer aux dominos!... Et je serai toujours très propre... Et je ne volerai plus rien dans la cuisine... Veux-tu que je fasse quelque chose d'étonnant?... Veux-tu que j'embrasse la Chatte?...

MYTYL, à la Chatte.

Et toi, Tylette?... Tu n'as rien à nous dire.

LA CHATTE, pincée, énigmatique.

Je vous aime tous deux, autant que vous le méritez...

LA LUMIÈRE

Maintenant, qu'à mon tour, mes enfants, je vous donne le dernier baiser...

TYLTYL et **MYTYL**, s'accrochant à la robe de la Lumière.

Non, non, non, la Lumière!... Reste ici, avec nous!... Papa ne dira rien... Nous dirons à Maman que tu as été bonne...

LA LUMIÈRE

Hélas! je ne peux pas... Cette porte nous est fermée et je dois vous quitter..

TYLTYL

Où iras-tu toute seule?

LA LUMIÈRE

Pas bien loin, mes enfants; là-bas, dans le pays du Silence des choses..

TYLTYL

Non, non; je ne veux pas... Nous irons avec toi... Je dirai à Maman...

LA LUMIÈRE

Ne pleurez pas, mes chers petits... Je n'ai pas de voix comme l'Eau; je n'ai que ma clarté que l'Homme n'entend point... Mais je veille sur lui jusqu'à la fin des jours... Rappelez-vous bien que c'est moi qui vous parle dans chaque rayon de lune qui s'épanche, dans chaque étoile qui sourit, dans chaque aurore qui se lève, dans chaque lampe qui s'allume, dans chaque pensée bonne et claire de votre âme... (Huit heures sonnent derrière le mur.) Écoutez !... L'heure sonne... Adieu !... La porte s'ouvre !... Entrez, entrez, entrez !...

> Elle pousse les enfants dans l'ouverture de la petite porte qui vient de s'entre-bâiller et se referme sur eux. — Le Pain essuie une larme furtive, le Sucre, l'Eau, tout en pleurs, etc., fuient précipitamment et disparaissent à droite et à gauche, dans la coulisse. Hurlements du Chien à la cantonade. La scène reste vide un instant, puis le décor figurant le mur de la petite porte s'ouvre par le milieu, pour découvrir le dernier tableau.

DOUZIÈME TABLEAU

LE RÉVEIL

Le même intérieur qu'au premier tableau, mais tout, les murs, l'atmosphère, y paraît incomparablement, féeriquement plus frais, plus riant, plus heureux. — La lumière du jour filtre gaiement par toutes les fentes des volets clos.

―――――――

A droite, au fond de la pièce, en leurs deux petits lits, Tyltyl et Mytyl sont profondément endormis. — La Chatte, le Chien et les Objets sont à la place qu'ils occupaient au premier tableau, avant l'arrivée de la Fée. — Entre la Mère Tyl.

LA MÈRE TYL, d'une voix allégrement grondeuse.

Debout, voyons, debout! les petits paresseux!... Vous n'avez donc pas honte?... Huit heures sont sonnées, le soleil est déjà plus haut que la forêt!... Dieu! qu'ils dorment, qu'ils dorment!... (Elle se penche et embrasse les enfants.) Ils

22

sont tout roses... Tyltyl sent la lavande et
Mytyl le muguet... (Les embrassant encore.) Que c'est
bon les enfants!... Ils ne peuvent pourtant pas
dormir jusqu'à midi... On ne peut pas en faire
des paresseux... Et puis, je me suis laissée dire
que ce n'est pas trop bon pour la santé... (Secouant
doucement Tyltyl.) Allons, allons, Tyltyl...

TYLTYL, s'éveillant.

Quoi?... La Lumière?... Où est-elle? Non, non,
ne t'en vas pas...

LA MÈRE TYL

La Lumière?... mais bien sûr qu'elle est là...
Il y a déjà pas mal de temps... Il fait aussi clair
qu'à midi, bien que les volets soient fermés...
Attends un peu que je les ouvre... (Elle pousse les
volets, l'aveuglante clarté du grand jour envahit la pièce.) Là,
voilà!... Qu'est-ce que t'as?... T'as l'air tout
aveuglé...

TYLTYL, se frottant les yeux.

Maman, maman!... C'est toi!...

LA MÈRE TYL

Mais bien sûr que c'est moi... Qui veux-tu
que ce soit?...

TYLTYL

C'est toi... Mais oui, c'est toi!...

LA MÈRE TYL

Mais oui, c'est moi... Je n'ai pas changé de visage cette nuit... qu'as-tu donc à me regarder comme un émerveillé?... J'ai peut-être le nez à l'envers?...

TYLTYL

Oh! que c'est bon de te revoir!... Il y a si long-temps, si longtemps!... Il faut que je t'embrasse tout de suite... Encore, encore, encore!... Et puis, c'est bien mon lit!... Je suis dans la maison!...

LA MÈRE TYL

Qu'est-ce que t'as?... Tu ne t'éveilles pas?... T'es pas malade, au moins?... Voyons, montre ta langue... Allons, lève-toi donc, et puis habille-toi...

TYLTYL

Tiens! je suis en chemise!...

LA MÈRE TYL

Bien sûr... Passe ta culotte et ta petite veste... Elles sont là, sur la chaise...

TYLTYL

Est-ce que j'ai fait ainsi tout mon voyage?...

LA MÈRE TYL

Quel voyage?...

TYLTYL

Mais oui, l'année dernière...

LA MÈRE TYL

L'année dernière?...

TYLTYL

Mais oui, donc!... A Noël, lorsque je suis parti...

LA MÈRE TYL

Lorsque t'es parti?... T'as pas quitté la chambre... Je j'ai couché hier soir, et je te retrouve ce matin... T'as donc rêvé tout ça?...

TYLTYL

Mais tu ne comprends pas!... C'était l'année passée, lorsque je suis parti avec Mytyl, la Fée, la Lumière... elle est bonne, la Lumière! le Pain, le Sucre, l'Eau, le Feu. Ils se battaient tout le temps... T'es pas fâchée?... T'as pas été trop triste?... Et Papa, qu'a-t-il dit?... Je ne pouvais pas refuser... J'ai laissé un billet pour expliquer...

LA MÈRE TYL

Qu'est-ce que tu chantes là?... Bien sûr que t'es malade, ou bien tu dors encore... (Elle lui donne une bourrade amicale.) Voyons, réveille-toi... Voyons, ça va-t-il mieux?...

TYLTYL

Mais, Maman, je t'assure... C'est toi qui dors encore...

LA MÈRE TYL

Comment! je dors encore?... Je suis debout depuis six heures... J'ai fait tout le ménage et rallumé le feu...

22.

TYLTYL

Mais demande à Mytyl si c'est pas vrai... Ah !
nous en avons eu des aventures !...

LA MÈRE TYL

Comment, Mytyl?... Quoi donc?...

TYLTYL

Elle était avec moi... Nous avons revu bon-
papa et bonne-maman...

LA MÈRE TYL, de plus en plus ahurie.

Bon-papa et bonne-maman?...

TYLTYL

Oui, au Pays du Souvenir... C'était sur notre
route... Ils sont morts, mais ils se portent bien...
Bonne-maman nous a fait une belle tarte aux
prunes... Et puis les petits frères, Robert, Jean,
sa toupie, Madeleine et Pierrette, Pauline et
puis Riquette...

MYTYL

Riquette, elle marche à quatre pattes !...

TYLTYL

Et Pauline a toujours son bouton sur le nez...

MYTYL

Nous t'avons vue aussi hier au soir.

LA MÈRE TYL

Hier au soir? Ce n'est pas étonnant puisque je t'ai couchée.

TYLTYL

Non, non, aux jardins des Bonheurs, tu étais bien plus belle, mais tu te ressemblais...

LA MÈRE TYL

Le jardin des Bonheurs? Je ne connais pas ca...

TYLTYL, la contemplant, puis l'embrassant.

Oui, tu étais plus belle, mais je t'aime mieux comme ça..

MYTYL, l'embrassant également.

Moi aussi, moi aussi...

LA MÈRE TYL, attendrie, mais fort inquiète.

Mon Dieu! qu'est-ce qu'ils ont?... Je vais les
perdre aussi, comme j'ai perdu les autres!...
(Subitement affolée, elle appelle.) Papa Tyl! Papa
Tyl!... Venez donc! Les petits sont malades!...

Entre le Père Tyl, très calme une hache à la main.

LE PÈRE TYL

Qu'y a-t-il?...

TYLTYL et MYTYL, accourant joyeusement pour embrasser
leur père.

Tiens, Papa!... C'est Papa!... Bonjour, Papa!...
Tu as bien travaillé cette année?...

LE PÈRE TYL

Eh bien, quoi?... Qu'est-ce que c'est?... Ils
n'ont pas l'air malade; ils ont fort bonne mine...

LA MÈRE TYL, larmoyante.

Il ne faut pas s'y fier... Ce sera comme les
autres... Ils avaient fort bonne mine aussi, jusqu'à la fin; et puis le bon Dieu les a pris... Je ne
sais ce qu'ils ont... Je les avais couchés bien
tranquillement hier au soir; et ce matin, quand
ils s'éveillent, voilà que tout va mal... Ils ne
savent plus ce qu'ils disent; ils parlent d'un
voyage... Ils ont vu la Lumière, grand-papa,
grand'maman, qui sont morts mais qui se
portent bien...

TYLTYL

Mais bon-papa, il a toujours sa jambe de
bois...

MYTYL

Et bonne-maman ses rhumatismes...

LA MÈRE TYL

Tu entends?... Cours chercher le médecin!...

LE PÈRE TYL

Mais non, mais non... Ils ne sont pas encore morts... Voyons, nous allons voir... (On frappe à la porte de la maison.) Entrez !

> Entre la Voisine, petite vieille qui ressemble à la Fée du premier acte, et qui marche en s'appuyant sur un bâton.

LA VOISINE

Bien le bonjour et bonne fête à tous !

TYLTYL

C'est la Fée Bérylune !

LA VOISINE

Je viens chercher un peu de feu pour mon pot-au-feu de la fête... Il fait bien frisquet ce matin... Bonjour, les enfants, ça va bien ?...

TYLTYL

Madame la Fée Bérylune, je n'ai pas trouvé l'Oiseau-Bleu...

LA VOISINE

Que dit-il?...

LA MÈRE TYL

Ne m'en parlez pas, madame Berlingot... Ils
ne savent plus ce qu'ils disent... Ils sont comme
ça depuis leur réveil... Ils ont dû manger quelque
chose qui n'était pas bon...

LA VOISINE

Eh bien, Tyltyl, tu ne reconnais pas la mère
Berlingot, ta voisine Berlingot?...

TYLTYL

Mais si, madame... Vous êtes la Fée Bérylune... Vous n'êtes pas fâchée?...

LA VOISINE

Béry... quoi?

TYLTYL

Bérylune.

LA VOISINE

Berlingot, tu veux dire Berlingot...

TYLTYL

Bérylune, Berlingot, comme vous voudrez, madame... Mais Mytyl qui sait bien...

LA MÈRE TYL

Voilà le pis, c'est que Mytyl aussi...

LE PÈRE TYL

Bah, bah!... Cela se passera; je vais leur donner quelques claques...

LA VOISINE

Laissez donc, ce n'est pas la peine... Je connais ça; c'est rien qu'un peu de songeries... Ils auront dormi dans un rayon de lune... Ma petite fille qu'est bien malade est souvent comme ça...

LA MÈRE TYL

A propos, comment qu'elle va, ta petite fille?

LA VOISINE

Couci-couci... Elle ne peut se lever... Le doc-
teur dit que c'est les nerfs... Tout de même je
sais bien ce qui la guérirait... Elle me le demandait encore ce matin, pour son petit noël; c'est
une idée qu'elle a...

LA MÈRE TYL

Oui, je sais, c'est toujours l'oiseau de Tyltyl...
Eh bien, Tyltyl, ne vas-tu pas le lui donner
enfin, à cette pauvre petite?...

TYLTYL

Quoi, Maman?...

LA MÈRE TYL

Ton oiseau... Pour ce que tu en fais... Tu ne le
regardes même plus... Elle en meurt d'envie
depuis si longtemps!...

TYLTYL

Tiens, c'est vrai, mon oiseau... Où est-il?...
Ah! mais voilà la cage!... Mytyl, vois-tu la
cage?... C'est celle que portait le Pain... Oui,
oui, c'est bien la même; mais il n'y a plus qu'un
oiseau... Il a donc mangé l'autre?... Tiens,
tiens!... Mais il est bleu!... Mais c'est ma tourterelle!... Mais elle est bien plus bleue que quand
je suis parti!... Mais c'est là l'Oiseau-Bleu que
nous avons cherché!... Nous sommes allés si loin
et il était ici!... Ah! ça, c'est épatant!... Mytyl,
vois-tu l'oiseau?... Que dirait la Lumière?... Je
vais décrocher la cage... (Il monte sur une chaise et
décroche la cage qu'il apporte à la Voisine.) La voilà,
madame Berlingot... Il n'est pas encore tout
à fait bleu; ça viendra, vous verrez... Mais
portez-le bien vite à votre petite fille...

LA VOISINE

Non?... Vrai?... Tu me le donnes, comme ça,
tout de suite et pour rien?... Dieu! qu'elle va
être heureuse!... (Embrassant Tyltyl.) Il faut que je
t'embrasse!... Je me sauve!... Je me sauve!...

TYLTYL

Oui, oui; allez vite... Il y en a qui changent de couleur...

LA VOISINE

Je reviendrai vous dire ce qu'elle aura dit...

Elle sort.

TYLTYL, après avoir longuement regardé autour de soi.

Papa, Maman; qu'avez-vous fait à la maison?... C'est la même chose; mais elle est bien plus belle...

LE PÈRE TYL

Comment, elle est plus belle?...

TYLTYL

Mais oui, tout est repeint, tout est remis à neuf, tout reluit, tout est propre... Ça n'était pas comme ça, l'année dernière...

LE PÈRE TYL

L'année dernière?...

TYLTYL, allant à la fenêtre.

Et la forêt qu'on voit!... Est-elle grande, est-
elle belle!... On croirait qu'elle est neuve!...
Qu'on est heureux ici!... (Allant ouvrir la huche.) Où
est le Pain?... Tiens, ils sont bien tranquilles...
Et puis, voilà Tylô!... Bonjour, Tylô, Tylô!...
Ah! tu t'es bien battu!... Te rappelles-tu dans
la forêt?...

MYTYL

Et Tylette?... Elle me reconnaît bien, mais elle
ne parle plus...

TYLTYL

Monsieur le Pain... (Se tâtant le front.) Tiens, je
n'ai plus le Diamant! Qui est-ce qui m'a pris
mon petit chapeau vert?... Tant pis! je n'en ai
plus besoin... — Ah! le Feu!... Il est bon!... Il
pétille en riant pour faire enrager l'Eau... (Courant à la fontaine.) — Et l'Eau?... Bonjour, l'Eau!...
Que dit-elle?... Elle parle toujours, mais je ne la
comprends plus aussi bien..

MYTYL

Je ne vois pas le Sucre...

TYLTYL

Dieu que je suis heureux, heureux, heureux !...

MYTYL

Moi aussi, moi aussi !...

LA MÈRE TYL

Qu'ont-ils donc à tourniller comme ça ?...

LE PÈRE TYL

Laisse donc, t'inquiète pas... Ils jouent à être heureux...

TYLTYL

Moi, j'aimais surtout la Lumière... Où est sa lampe ?... Est-ce qu'on peut l'allumer ?... (Regardant encore autour de soi.) Dieu ! que c'est beau tout ça et que je suis content !...

On frappe à la porte de la maison.

LE PÈRE TYL

Entrez donc !...

Entre la Voisine, tenant par la main une petite fille d'une beauté blonde et merveilleuse qui serre dans ses bras la tourterelle de Tyltyl.

23.

LA VOISINE

Vous voyez le miracle!...

LA MÈRE TYL

Pas possible!... Elle marche?...

LA VOISINE

Elle marche!... C'est-à-dire qu'elle court, qu'elle danse, qu'elle vole!... Quand elle a vu l'oiseau, elle a sauté, comme ça, d'un saut, vers la fenêtre, pour voir à la lumière si c'était bien la tourterelle de Tyltyl... Et puis pfff!... dans la rue, comme un ange... C'est tout juste si je pouvais la suivre...

TYLTYL, s'approchant, émerveillé.

Oh! qu'elle ressemble à la Lumière!...

MYTYL

Elle est bien plus petite...

TYLTYL

Sûr!... Mais elle grandira...

LA VOISINE

Que disent-ils?... Ça ne va pas encore?...

LA MÈRE TYL

Ça va mieux, ça se passe... Quand ils auront déjeuné, il n'y paraîtra plus...

LA VOISINE, poussant la petite fille dans les bras de Tyltyl.

Allons, va, ma petite, va remercier Tyltyl...

Tyltyl, soudainement intimidé, recule d'un pas.

LA MÈRE TYL

Eh bien, Tyltyl, qu'est-ce que t'as?... T'as peur de la petite fille?... Voyons, embrasse-la... Voyons, un gros baiser... Mieux que ça... Toi si effronté d'habitude!... Encore un!... Mais qu'est-ce donc que t'as?... On dirait que tu vas pleurer...

Tyltyl, après avoir gauchement embrassé la petite fille, reste un moment debout devant elle, et les deux enfants se regardent sans rien dire ; puis, Tyltyl caressant la tête de l'oiseau.

TYLTYL

Est-ce qu'il est assez bleu?...

LA PETITE FILLE

Mais oui, je suis contente...

TYLTYL

J'en ai vu de plus bleus... Mais les tout à fait bleus, tu sais, on a beau faire, on ne peut pas les attraper.

LA PETITE FILLE

Ça ne fait rien, il est bien joli...

TYLTYL

Est-ce qu'il a mangé?...

LA PETITE FILLE

Pas encore... Qu'est-ce qu'il mange?...

TYLTYL

De tout, du blé, du pain, du maïs, des cigales...

LA PETITE FILLE

Comment qu'il mange, dis?...

TYLTYL

Par le bec, tu vas voir, je vais te montrer...

Il va pour prendre l'oiseau des mains de la petite fille;
celle-ci résiste instinctivement, et, profitant de l'hésitation de leur geste, la tourterelle s'échappe et s'en-
vole.

LA PETITE FILLE, poussant un cri de désespoir.

Maman!... Il est parti!...

Elle éclate en sanglots.

TYLTYL

Ce n'est rien... Ne pleure pas... Je le rattra-
perai... (S'avançant sur le devant de la scène et s'adressant
au public.) Si quelqu'un le retrouve, voudrait-il
nous le rendre?... Nous en avons besoin pour
être heureux plus tard...

RIDEAU

— Libr.-Impr. réunies, 7, rue Saint-Benoît, Paris.